KB006569

Standard Guidebook for Artificial Turf Maintenance

인조잔디 유지관리를 위한 표준 가이드북

사단법인 한국체육시설안전관리협회 편저

대|경|북|스

인조잔디 유지관리를 위한 표준 가이드북

1판 1쇄 인쇄 2023년 4월 24일
1판 1쇄 발행 2023년 4월 28일

발행인 김영대
편집디자인 임나영
펴낸 곳 대경북스
등록번호 제 1-1003호
주소 서울시 강동구 천중로42길 45(길동 379-15) 2F
전화 (02)485-1988, 485-2586~87
팩스 (02)485-1488
홈페이지 http://www.dkbooks.co.kr
e-mail dkbooks@chol.com

ISBN 978-89-5676-953-0

발간사

우리나라에서 인조잔디는 2006년에 처음으로 국내에 수입되어 본격적으로 보급되기 시작하였으며, 2010년에는 정부에서 인조잔디에 대한 KS 기준을 마련하게 됩니다. 2016년에는 인조잔디 시공에 사용되는 폐타이어 부스러기 충전재의 유해성 논란이 커지면서 인조잔디의 내구성기준 보강과 더불어 엄격한 유해성 기준이 적용되기도 하였습니다.

2021년 1월에는 사단법인 한국체육시설안전관리협회가 전국 158곳 인조잔디축구장을 대상으로 인조잔디 정밀 성능 조사를 실시하였으며, 그 조사 결과를 경향신문에서 보도한 바 있습니다. 조사결과에서는 조사대상 인조잔디축구장 158곳 중 129곳(81.6%)이 적정 품질기준의 50%에도 미치지 못하는 것으로 평가되었습니다. 이러한 조사결과와 언론보도는 인조잔디구장 상태에 대한 심각성을 불러일으켰으며, 이에 문화체육관광부와 대한축구협회에서는 협업을 통해 인조잔디구장의 KS 기준을 좀 더 강화하는 결과를 낳기도 하였습니다.

2023년 현재 인조잔디 KS 기준을 충족하는 국내 공급업체는 50여개 정도입니다. 앞으로 'G type', 'H type' 등 전문경기장용 인조잔디의 공급 및 시공은 강화된 KS 기준에 의한 인증서를 갱신한 업체 만이 시장에 참여할 수 있습니다. 제품 품질을 높이기 위한 업체의 연구와 투자는 이제 필수요소가 됩니다. 그러나 품질을 끌어올리는 것만으로는 최적의 인조잔디 성능을 유지하고 안전한 선수활동을 확보하는데 한계가 있습니다. 적합한 업체에 의한 전문경기장용 인조잔디 시공과 더불어 정기적 성능검사를 통한 개·보수 등 인조잔디의 품질 유지를 위한 효율적 점검과 관리가 함께 이루어져야 합니다.

그럼에도 불구하고 특히 국내 지자체에서의 거의 모든 인조잔디구장은 시공에만 치중하고 있으며, 사후 유지·관리는 소홀한 실정입니다. 이러한 현실은 인조잔디구장을 관리하는 시설관리자의 인조잔디 관리에 대한 전문지식 및 관련 정보의 부족도 주요한 원인이 된다고 할 수 있습니다.

인조잔디 구장의 효율적 유지·관리에 대한 중요성은 강조되고 있지만 우리나라에서는 현재까지 이에 대한 전문 지침서는 전무한 실정입니다. 이에 사단법인 한국체육시설안전관리협회에서는 지난 수년간 조경분야나 인조잔디 시공업체, 유지관리 업체 등의 현장 시공·관리 경험과 사례는 물론 다양한 관련 문헌 등을 수집하고, 외국의 인조잔디 유지관리 선진 사례 연구 능을 통해 한국형 인조잔디 유지관리 가이드북을 발간하게 되었습니다.

금번 발간된 인조잔디 유지관리 가이드북은 인조잔디 구장에서 경기하는 선수의 부상예방과 경기력 향상을 위해 최적화된 인조잔디 상태를 제공하기 위한 관리지침을 마련하는데 중점을 두었습니다. 본 저서의 내용은 크게 세 개의 부분으로 구성되어 있습니다. 첫 번째 부분은 '인조잔디 일반', 두 번째 부분은 '스포츠경기장 인조잔디 시공 및 유지·관리', 세 번째 부분은 '스포츠경기장 인조잔디 성능평가'로 구분됩니다.

먼저 첫 번째 '인조잔디 일반' 부분은 주로 인조잔디의 개념에 대한 내용으로 인조잔디의 정의, 제작 성분 및 재료, 기본 구성품, 품질기준 등을 소개하고 있습니다. 아울러 스포츠경기장에서의 인조잔디 사용 유래와 적용, 인조잔디 시스템의 발전과정, 스포츠경기장용 인조잔디시스템의 특성 등으로 구성되어 있습니다.

두 번째 부분인 '스포츠경기장 인조 잔디 시공 및 유지·관리'는 스포츠 인조잔디 구장의 시공과 유지·관리에 대한 구체적 과정 및 방법 등을 비교적 자세하게 설명하고 있습니다. 또한 인조잔디의 유지·관리에 필요한 점검사항과 효과, 사례, 장비 사용방법 등도 담고 있습니다. 본 장을 통해 경기장 인조잔디 유지관리에 필요한 전문 지식을 구체적으로 습득하고 익힐 수 있으며, 특히 체육시설관리자들이 인조잔디 시공 시 합리적인 입찰조건을 제시할 수 있는 지침자료로도 활용 될 수 있을 것으로 기대합니다.

세 번째 부분인 '스포츠경기장 인조잔디 성능평가'에서는 경기장 인조잔디에 대한 충격흡수성, 수직방향변형, 미끄럼저항, 회전저항, 평탄도, 공반발, 공구름 등 정밀 성능점검 측정 방법 및 평가, 육안검사의 기준과 점검방법 등을 설명하였습니다. 또한 실제 인조잔디 구장의 성능점검 사례를 예시로 제시함으로써 독자의 이해도를 높일 수 있도록 배려하였습니다.

인조잔디 스포츠구장의 유지·관리와 관련하여 금번 우리나라에서 처음으로 출간되는 본 '인조잔디 유지관리를 위한 표준 가이드북'은 분명히 아쉽고 미진한 부존재할 것입니다. 그럼에도 불구하고 금번 저서의 발간을 더 이상 미룰 수 없는 이유는 스포츠경기장에서의 안전한 선수활동을 확보하는 것이 무엇보다 시급한 일이기 때문입니다. 일년에도 수천 건씩 스포츠안전공제회에 선수의 경기 중 안전사고가 접수되고 있습니다. 이에 본 사단법인 한국체육시설안전관리협회에서는 우선 그동안 수집된 자료를 정리하여 인조잔디 구장의 체계적이고 효율적인 유지·관리를 위한 일정의 지침을 제시하고자 하였습니다. 본 '인조잔디 유지관리를 위한 표준 가이드북'이 각 지방자치단체 체육시설관리자에게 보급됨으로써 스포츠선수 부상 예방과 경기력 향상을 꾀할 수 있는 경기장 환경이 조성되는데 일조하기를 기대하며, 이후 후속되는 연구와 꾸준한 조사 등을 통해 향후 보완된 지침서를 이어갈 계획입니다.

이번 저서 발간에는 많은 분들의 도움이 있었습니다. 먼저 본 저서의 출간 목적에 공감하여 귀중한 자료 제공은 물론 깊은 지지를 해 주신 인조 잔디 시공 및 유지·관리 업체 대표님들과 관계자분들게 진심으로 감사드립니다. 그리고 우리나라 인조잔디 인증 시험기관으로서 아낌없는 조언과 자료제공을 해 주신 한국건설생활환경시험연구원(KCL) 본부장님과 연구원님들께도 마음 깊이 감사를 드립니다. 부족한 원고를 흔쾌히 출간 허락을 해 주신 대경북스 대표님에게도 감사드립니다. 끝으로 자료수집과 자료정리 등 집필에 함께 참여한 사단법인 한국체육시설안전관리협회 전문위원님들께 감사를 드립니다.

사단법인 한국체육시설안전관리협회
고재곤, 안을섭　공동회장

Part 1. 인조잔디(Artificial turf) 일반

Contents

Part 2. 스포츠경기장 인조잔디 시공 및 유지 · 관리

Part 3. 스포츠경기장 인조잔디 성능평가

List of Figures

Contents

List of Tables

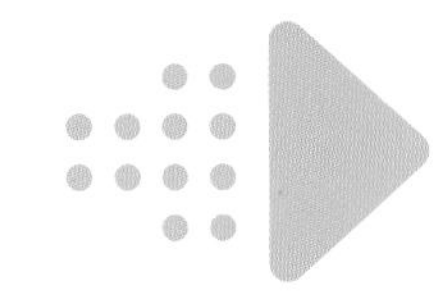

Part 1.

인조잔디(Artificial turf) 일반

인조잔디(Artificial turf) 개념

인조잔디(Artificial turf)의 정의

인조잔디(Artificial turf)는 주로 폴리프로필렌(Polypropylene)[1], 폴리에틸렌(Polyethylene)[2], 나일론(Nylon)[3] 등의 재료를 사용하여 인공적으로 천연잔디의 형태와 특성을 유사하게 구현한 잔디를 말한다(한국체육시설안전관리협회 외, 2022).

천연잔디가 갖는 생육과 관리비용의 어려움을 보완하기 위하여, 1956년 미국에서 처음으로 인조잔디가 개발되었으며 이후 천연잔디의 대용품으로 활용되기 시작하였다.

주로 천연잔디의 생육이 불가능한 실내의 정원이나 일조시간이 부족한 건물의 음지(陰地) 등에서 조경이나 인테리어 용도 등으로 다양하게 사용되고 있으며, 특히

---

1) 폴리올레핀 계열에 속하는 결정성 플라스틱
2) 열가소성 플리스틱의 하나로 우수한 내화학성과 높은 인성을 갖음
3) 폴리아마이드 계열의 합성 고분자 화합물을 통칭

그림 1-1 | 다양한 분야에서의 인조잔디 활용

"인조잔디는
시각적으로 천연잔디와 같은 녹색 푸름을 유지할 수 있으며,
주변 환경에 구애받지 않고 시공이 가능하다는 장점을 갖는다."
"인조잔디는
천연잔디에 비해 상대적으로 유지 · 관리가 용이하며,
경비도 저렴하다."

스포츠 분야에서 인조잔디가 적극적으로 도입되어 설치·운영되고 있다. 인조잔디로 조성된 스포츠 구장은 천연잔디와 유사한 경기감각을 발휘할 수 있으며, 연간 사용일 수의 제약을 거의 받지 않는다는 점에서 스포츠 활동을 위한 공간이나 구장에서의 활용도가 매우 높다.

인조잔디는 시각적으로 천연잔디와 같은 녹색 푸름을 유지할 수 있으며, 주변 환경에 구애받지 않고 시공이 가능하다는 장점을 갖는다. 또한 인조잔디는 천연잔디에 비해 상대적으로 유지·관리가 용이하며, 경비도 저렴하다. 관리 역량에 따라 내구성, 복원력, 충격 흡수율 등 인조잔디가 갖는 우수한 성능을 비교적 장기간 유지할 수 있으며, 시공의 용이성과 다양성으로 인조잔디는 다양한 영역에서 활용도가 증가하고 있는 추세이다.

반면에 인조잔디는 천연잔디에 비해 질감이 다소 떨어질 수밖에 없으며, 오래 사용하게 되면 잔디가 손상되고 퇴색되어 품질 유지를 위한 정기적인 관리와 보수를 필요로 한다.

또한 초기 설치비용이 비교적 많이 소요되며, 재질선택과 유지·보수 여하에 따라 사용자의 활동 안전에 위해가 될 소지가 크다는 단점도 있다.

인조잔디 생산 1세대라고 할 수 있는 1960년대 중반에서부터 1970년대 중반까지의 2세대 인조잔디에 사용되었던 재생 고무칩 등에서 중금속이 검출된 이래 인조잔디의 유해성 논란이 지속되고 있다. 최근에는 인조잔디의 안전성과 성능이 강화된 재료가 개발되어 시공되고 있지만 여전히 인조잔디에서 안전기준을 초과하는 유해성분 검출 논란이(한겨레 신문, 2015)[4] 발생되고 있는 바 인조잔디의 활용성 확대를 위해 해결해야 할 과제이다.

인조잔디(Artificial turf)의 재료 및 기본 구성

인조잔디(Artificial turf)란 잔디 형태의 '실' 하나를 의미하는 것이 아니라 시공이 가능한 형태로 구조화된 인조잔디의 '전체구성'을 일컫는다. 즉, 인조잔디는 실 형태의 '원사(原絲, yarn)'로 만들어진 인조잔디 파일(pile)을 바닥재와 결합하여 구성되며 이를 인조잔디 구조형태로 시공하는 형식이다.

따라서 인조잔디(Artificial turf)는 잔디 모양의 '원사(原絲, yarn)'가 가장 기본적 구

4) "국민체육진흥공단이 2014년 7월부터 11월까지 전국 1,037개 학교의 인조잔디 운동장을 조사해 보니, 이 가운데 174개 학교에서 1급 발암물질인 벤조피렌과 중추신경계의 손상을 가져오는 납 등의 중금속이 기준치를 초과해 검출된 것으로 보고하고 있다."

성요소가 된다. 원사는 폴리프로필렌(Polypropylene), 폴리에틸렌(Polyethylene), 나일론(Nylon) 등의 합성수지 원료로 제작되며, 원사의 모양, 굵기, 색상에 따라 적합한 용도로 사용된다.

인조잔디 원사의 재료로써 나일론(Nylon)은 질기고 내마모성과 탄성이 우수하여 구김이 생기지 않으며, 열가소성이 좋아 형태가 쉽게 변하지 않는다는 장점을 갖는다. 또한 인장강도가 다른 재료에 비해 상대적으로 강하며 염색성도 비교적 우수하다는 특징이 있다.

그러나 연소 시 유독물질을 생산하며 햇볕에 노출되었을 때 쉽게 열화되고 변색된다는 단점이 있다. 따라서 나일론 소재의 인조잔디는 주로 햇볕이 들지 않는 실내에 설치하는 것이 적합하다.

표 1-1 | 인조잔디 원사의 종류 및 그에 따른 인조잔디의 장단점

구분	장점	단점
나일론	· 골프연습장, 테니스코트, 실내 조경 등 · 매우 강하고 단단함 · 열이나 압력에 강함 · 고급잔디 생산 원료	· 밟거나 반복 사용 시 꺾임 현상 발생 · 넘어지거나 쓸릴 때 화상 확률 발생
폴리에틸렌	· 관리가 용이함 · 가볍고 유연함 · 저온에서의 충격에 강함 · 내구성과 부드러움, 복원력이 좋음 · 천연잔디와 가장 유사한 느낌을 줌	· 사용에 따라 부드러움으로 인하여 잔디 복원력이 떨어짐 · 미끄럼 현상 발생 위험
폴리프로필렌	· 골프연습장, 테니스코트 등 · 가격이 저렴	· 복원력과 내열성에 취약 · 고온 노출 시 변형 위험 · 시장 성장이 저조

"폴리에틸렌(Polyethylene)으로
제작된 인조잔디는 가볍고 유연하다는 특징"

"폴리프로필렌(Polypropylene)은
물에 뜰 정도로 매우 가벼우며, 가격이 저렴."

폴리에틸렌(Polyethylene)으로 제작된 인조잔디는 가볍고 유연하다는 특징을 갖는다. 또한 다른 소재와 비교하여 상대적으로 낮은 밀도나 저온에서의 높은 충격에 강하며, 우수한 내마모성, 내화학성, 내부식성, 전기 절연성의 특징을 지니고 있다.

폴리에틸렌 인조잔디는 천연잔디와 가장 유사한 느낌을 나타내므로 운동장은 물론 주로 카페나 펜션, 마당, 옥상 등에서 자연과 흡사한 환경을 연출하기에도 적합하며 현재 축구장, 야구장 등 스포츠 시설에 설치하는 인조잔디에 가장 많이 사용하는 원사 종류이다.

폴리프로필렌(Polypropylene)은 물에 뜰 정도로 매우 가벼우며, 가격이 저렴하다. 또한 섬유 자체의 흡수성 및 흡습성이 거의 없다는 장점을 갖는다. 또한 오염에 강하고 배수성, 안정성, 강도성이 우수한 재료이다. 그러나 열이나 빛에 약하여 햇볕에 장기 노출할 경우 변색이나 변형의 우려가 있는 것이 단점이다. 폴리프로필렌으로 제조된 인조잔디는 주로 골프연습장, 테니스 코트에 주로 시공된다.

직모

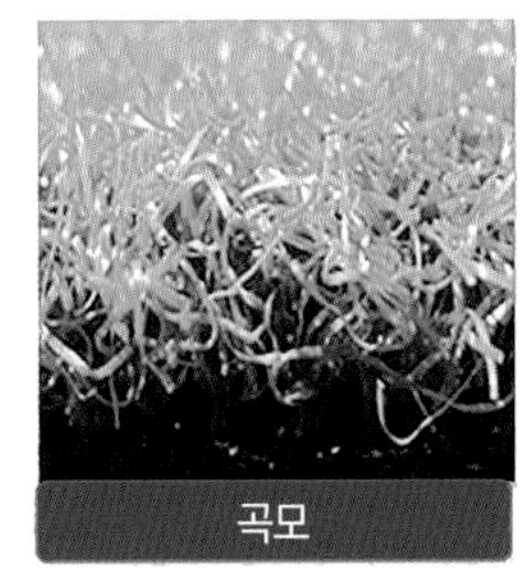

곡모

그림 1-2 | 원사의 형태

인조잔디의 가장 기본적인 구성 요소가 되는 '원사(原絲, yarn)'는 직선 형태의 '직모', 곡선 형태의 '곡모', 직모와 곡모의 중간 형태인 '반직모'로 구분된다.

'직모' 형태의 원사는 충전재를 사용하는 인조잔디에 많이 사용되며, '곡모' 형태의 원사는 조경용 인조잔디로 제작될 때 주로 활용된다. '반직모' 형태의 원사는 '직모'와 '곡모'에 비해 상대적으로 활용도가 낮은 편이다. 최근에는 '직모'와 '곡모'의 장점을 극대화하기 위하여 각각을 혼합한 형태로 제작하여 사용하기도 한다.

'원사(原絲, yarn)'는 잔디 형태의 파일(pile) 구조로 인조잔디를 구성하는 핵심 원료이다. 즉, 원사가 다발로 묶어져 잔디 파일(pile)을 구성하며 이러한 잔디 파일(pile)을 하부 구조체(backing)에 고정한 것이 인조잔디이다. 파일을 구성하고 제작하는 방식에 따라 인조잔디의 성능이나 용도, 쓰임새 등이 달라질 수 있다.

인조잔디는 [그림 1-3]과 같이 인조잔디의 표면 물성 및 기능성 부여에 따라 다양한 소재와 형태로 제작되어 운동장이나 실생활에서 용도에 따라 적합하게 사용된다.

그림 1-3 | 인조잔디의 다양한 구성 형태

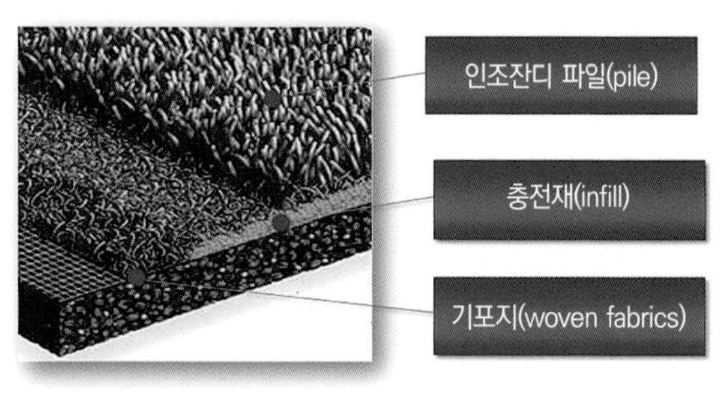

그림 1-4 | 인조잔디 구성

인조잔디의 기본 구성은 [그림 1-4]에 나타난 바와 같이 인조잔디 파일(pile)과 충전재(infill), 기포지(woven fabric) 등의 기본 요소로 이루어진다.

인조잔디 파일(pile)

파일(pile)은 매트(backing)에 고정되어 잔디의 역할을 하게 되며, 기본적으로 낮은 표면 마찰 저항 및 높은 내구성을 갖추어야 한다.

그림 1-5 | 인조잔디 파일(pile) 종류

파일(pile)은 [그림 1-5]와 같이 단일 가닥으로 만들어진 형태의 모노 필라(mono filament) 원사나 가닥이 쪼개어진 형태의 스플릿 원사(split yarn)를 단독으로 사용하거나 혼합된 형태의 원사를 사용하여 제작한다.

파일의 길이는 인조잔디를 구분하는 요소가 되기도 한다. 일반적으로 파일 길이가 30㎜ 이하인 짧은 단(短)파일부터 파일 길이가 30㎜ 이상인 장(長)파일까지 길이에 따른 다양한 종류의 파일로 구분할 수 있다.

파일 길이가 30㎜ 이하의 단파일의 경우 잔디의 밀도가 높아 실내 인테리어 용도나 배드민턴장, 테니스장 등 공의 반발력이 요구되는 종목의 구장에 주로 사용된다. 골프 연습장의 퍼팅 그린(putting green)과 같이 일정의 공구름을 필요로 하는 곳에서도 주로 6㎜, 8㎜, 10㎜ 등의 짧은 단파일을 사용한다.

단파일은 상대적으로 낮은 충격흡수성, 탄력성 등으로 인해 잔디 위에서 격렬하게 몸을 구를 수 있는 축구나 야구 종목 등에서는 사용자가 화상이나 부상의 위험에

"파일 길이가 30㎜ 이하의 단파일의 경우
잔디의 밀도가 높아 실내 인테리어 용도나
배드민턴장, 테니스장 등 공의 반발력이 요구되는 종목의 구장에 주로 사용"

"파일 길이 30㎜ 이상의 장파일은
사용자 피부 접촉면이 넓어 마찰을 감소시켜줌으로써
상대적으로 화상의 위험을 줄일 수 있다는 장점이 있다."

노출되기 쉽다.

그에 반해 파일 길이 30㎜ 이상의 장파일은 인조잔디 충전재의 사용으로 인한 볼베어링 효과로 마찰을 감소시켜줌으로써 상대적으로 화상의 위험을 줄일 수 있고 충격 흡수성을 높일 수 있는 등의 장점이 있다. 따라서 40~65㎜ 이상의 장파일은 축구장, 야구장 등 비교적 과격한 움직임이 많은 종목의 운동장에 주로 사용된다.

파일 길이 55㎜의 긴 인조잔디는 주로 규사나 고무칩 등 충전재를 사용할 수 있는 실외 구장에 주로 활용된다.

파일은 원사를 기포지에 식모하는 방식에 따라 모노(mono) 방식, 이중직(1by1) 방식, 합사(twisted) 방식 등으로 구분되며, 각각의 제직 방식에 따라 인조잔디의 탄력성이나 충진 방식이 달라진다.

그림 1-6 | 인조잔디 파일의 직조방식

[그림 1-6]에 나타난 바와 같이 모노(mono) 방식의 파일 직조는 한 바늘에 하나의 원사를 직조하는 방식이며, 이중직(1by1) 방식은 두 바늘에 각각의 원사를 순차적으로 직조하는 방식이다. 모노 방식이나 이중직 방식의 파일직조는 잔디 파일이 잘 빠지며 탄성이 약하다는 단점이 있다. 이에 반해 합사 방식은 겉 잔디 파일과 속 잔디 파일이 서로 엉켜있는 형태로써 잔디의 결속력이 좋으며, 모노 방식이나 이중직 방식에 비해 상대적으로 탄성과 내구성이 우수하다는 장점을 갖는다.

충전재

충전재(infill, 充塡材)는 인조잔디 파일 사이에 규사[5]를 깔고, 규사 위에 일정의 높이로 채워주는 고무계열의 알갱이(chip) 재료로써 잔디 파일을 지지하며 충격 흡수, 수직 방향 변형, 회전 저항, 피부 표면 마찰 등의 성능을 구현하는 역할을 한다.

일반 조경을 위한 인조잔디에는 충전재를 사용하지 않기도 하지만 스포츠 활동을 위한 운동장의 인조잔디 시스템에서는 사용자 안전을 위해 일정 수준의 탄력성 및 충격흡수성 등을 요구하므로 충전재를 사용하여 시공한다.

충전재의 사용은 인조잔디의 노출을 감소시키며 손상을 방지하고, 이용자의 충격을 흡수함으로써 부상을 방지할 수 있으며 인조잔디 파일의 마모와 꼬임을 억제하여 인조잔디의 성능 유지와 내구성 향상에 기여한다.

충전재가 갖는 기능과 역할을 발휘하기 위해서는 다음의 몇 가지 조건을 충족해야 한다.

첫째, 인조잔디의 표면 배수 시 충전재가 유실될 수 있으므로, 이를 방지하기 위

5) 화강암 따위의 풍화로 생긴 이산화규소(석영)의 작은 모래(동아국어사전)

"충전재의 사용은
인조잔디의 노출을 감소시키며 손상을 방지하고,
이용자의 충격을 흡수함으로써 부상을 방지할 수 있으며
인조잔디 파일의 마모와 꼬임을 억제하여
인조잔디의 성능 유지와 내구성 향상에 기여한다."

하여 적절한 배수실과 함께 사용되어야 한다.

둘째, 충전재는 인조잔디 파일과 맞물림(interlocking)이 될 수 있도록 적정한 입형 및 크기를 가지고 있어야 한다.

셋째, 충전재는 변형이 적고 쉽게 부서지지 않아야 한다.

넷째, 충전재 특유의 고무칩(chip) 냄새가 심하게 나지 않아야 한다.

다섯째, 충전재는 혹독한 사용환경(높은 표면 온도, 자외선, 사용 다짐 등)에서도 형태의 변형이 없어야 한다.

여섯째, 충전재는 안전기준을 충족하는 제품으로써 인체에 무해한 재료로 제작되어야 한다.

국내에서 초기에 시공되었던 인조잔디 시스템에서 가장 많이 사용되는 충전재는 SBR(Styrene Butadiene Rubber) 충전재이다.

SBR 충전재는 폐타이어 등을 분쇄하여 만든 재활용 충전재로써 현재 국내에서는 재료의 유해성 문제로 거의 사용되지 않고 있으며 기존 시공된 인조잔디에서도 제거되는 추세에 있다. 특히 새로운 친환경 재료를 활용한 충전재가 개발되면서 현재 국내에서의 SBR 충전재를 사용하는 인조잔디는 단종되었다고 할 수 있다.

그러나 SBR 충전재는 가격대비 성능이 우수하며 뛰어난 내마모성, 내노화성,

SBR 칩	EPDM 칩	SEBS 칩	코르크 칩	기타 재생 천연 칩
폐 타이어 파쇄	EPDM 고무파쇄	열가소성 압출성형	자연건조 후 파쇄	분쇄, 배합, 소성
· 폐 타이어 사용 · 유해성, 환경문제 · 미세분진 발생 · 탄성, 내구성 우수 · 현재 미사용, 단종	· 유해성 문제 발생 · 입자 쪼개짐 현상 · 미세분진 발생 · 냄새문제 해결 · 탄성, 내구성 우수	· 내구성, 탄성 강화 · 유해성 문제해결 · 고온 시 액상화로 떡짐현상 발생 · 저온 시 판상화	· 천연 친환경 소재 · 빗물 유실 우려 · 높은 단가, 유지비 · 내구성이 약함	· 천연소재 · 빗물 유실 우려 · 부패 및 변질 우려 · 정전기 발생 · 동절기 결빙

그림 1-7 | 인조잔디 충전재 종류

내열성 등으로 아직도 일부 국가에서는 여전히 사용되고 있는 충전재이다.

EPDM(Ethylene Propylene Rubber) 충전재도 SBR 충전재와 마찬가지로 고무를 파쇄하여 재활용한 것으로 탄성과 내구성이 우수하지만, 장기간 사용 시 입자가 쪼개지고 미세분진이 발생한다는 단점이 있다.

국내에서는 2000년부터 EPDM 충전재가 사용되기 시작하였다. 사용 초기의 EPDM 충전재는 자동차 부품이나 전선, 전기 부품 등 품질이 매우 낮은 합성고무를 재활용하여 원료로 사용했기 때문에 여러 문제가 발생도기도 했으나, 현재는 인조잔디 운동장 전용 EPDM 충전재로 고형화 시킨 신재료를 분쇄하여 사용하도록 함으로써 저급의 유해한 원료가 섞이는 것을 방지하고 있다.

SEBS(Styrene Ethlene Butylene Styrene) 충전재는 고성능 스티렌(styrene)[6] 열가소성 탄성체 고무 재료를 소재로 한 충전재로써 유아용 장난감에 사용될 정도로 안전

6) 방향족 유기화합물 계열에 속하는 액체 탄화수소. 단위체들의 결합에 의해 형성되는 고분자로 이루어진 플라스틱류, 수지류, 고무류 등을 만드는데 사용됨

성을 확보하였으며, 내구성, 탄성의 강화로 기능성도 개선된 충전재이다.

특히 SEBS 충전재는 발암물질이나 중금속 오염 등 인조잔디에 대한 유해성 문제를 해결함으로써 최근 축구장이나 학교 운동장 등에서 주로 사용되고 있다. 다만 다른 충전재에 비해 상대적으로 탄성이 떨어지며, 둥근 모양의 조각(chip)으로 인해 쓸림과 유실이 발생 된다는 단점이 있다.

코르크 칩(Corky chip)[7] 충전재는 고무 재료를 대체하는 천연 신소재 재료이다. 자원을 재활용한 친환경 재료이며 인체에 유해성이 전혀 없다는 측면에서 최근 국내·외 일부 구장에서 사용되고 있으나 아직 충전재로써의 기능에 대한 유효성이 객관적으로 검증되지 않았다는 한계를 갖는다.

또한 강우 시 빗물로 인한 충전재의 다량 유실이 우려되며, 내구성 문제와 높은 유지비도 단점으로 지적된다.

그 외의 충전재 재료로써 왕겨나 칡, 황토 등의 친환경 천연소재를 활용한 충전재가 최근 개발, 생산되고 있으나 코르크 칩과 마찬가지로 빗물에 대한 충전재의 유실이라는 문제점을 포함하고 있으며, 천연재료의 특성 상 부패 및 변질이 발생될 우려가 있다.

또한 정전기가 발생 될 소지가 있으며, 동절기에는 결빙으로 인해 충전재의 기능을 발휘할 수 없게 된다는 단점이 있다.

그럼에도 불구하고 그동안에 인조잔디가 갖고 있는 유해성 문제를 해결하고, 운동상에서의 사용자 안전을 확보하기 위한 다양한 충전재가 개발되어 보급되고 있는

7) 코르크(Cork) : 코르크는 비대생장(肥大生長)을 하는 식물의 줄기나 뿌리의 주변부에 만들어 지는 보호조직으로 흔히 생각하는 나무껍질이다. 보통은 코르크 참나무의 껍질부분을 벗겨내 가공한 탄성을 가진 방수성, 부유성 소재를 의미한다(출처 : 나무위키).

추세이다.

최근에는 생분해성 플라스틱인 PLA(Poly Lactic Acid)[8] 등 친환경 소재를 활용한 다양한 충전재들이 시도되고 있다.

기포지(woven fabrics)

기포지는 인조잔디의 바닥면에 해당되는 것으로 여러 종류의 재질이 겹쳐서 이루어진다. 주로 상단에는 폴리프로필렌(Polypropylene), 폴리에틸렌(Polyethylene) 등의 재질이 사용되며 중간에는 스판 기포지와 그물망이 겹쳐진다.

인조잔디와 기포지가 합쳐지면 기포지 바닥면을 코팅하여 단단하게 압착시키게 되는데 이것을 백킹 공정(backing) 혹은 백코팅(back coating)이라고 한다.

백킹(backing)은 바닥면의 코팅 재료에 따라 PE코팅, PU코팅, SBR Latex코팅

그림 1-8 | 기포지 구성

8) PLA(Poly Lactic Acid, 폴리젖산) : 옥수수, 감자, 사탕수수 등 식물성 추출물을 발효시켜 만든 유산(lactic acid)을 고분자 합성한 열가소성 고분자 친환경 소재

등으로 구분된다.

국내에서 백킹(backing) 재료로 가장 많이 사용되는 PE코팅은 비교적 우수한 인발력과 강도를 지니며 같은 폴리에틸렌(Polyethylene) 재질로 파일과 기포지, 백킹을 구성할 경우, 인조잔디의 폐기 시 재활용이 가능하다는 장점을 갖는다.

PU코팅은 폴리우레탄(Polyurethane) 재질의 인공소재로 우수한 코팅력을 지니고 있다.

SBR Latex코팅은 국내에서 가장 많이 사용되는 PE코팅보다 제품의 강도가 비슷하거나 뛰어나다는 평가를 받고 있어 최근 인조잔디의 백킹(backing)에 많이 사용되고 있다.

기포지 백킹(backing)은 파일(pile)의 인발력(pull-out) 및 내구성 향상, 인조 잔디 형태의 안정성을 유지시키는데 매우 중요한 역할을 하게 된다.

인조잔디 시스템(Artificial turf system)

인조잔디 시스템(Artificial turf system)의 구성 및 종류

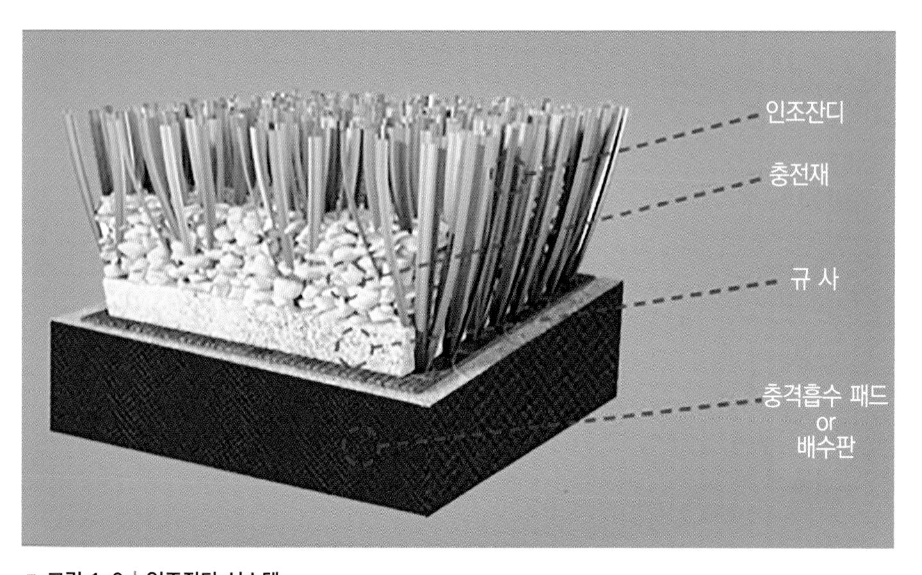

그림 1-9 | 인조잔디 시스템

인조잔디 시스템(Artificial turf system)은 인조잔디 파일(pile)과 충전재(infill), 기포지(woven fabrics) 등으로 이루어진 인조잔디와 인조잔디 매트(mat), 충격흡수 패드(shock pad), 충격흡수 배수판(shock-drain pad), 규사 및 탄성칩 등으로 구조화된 모든 구성 요소를 통틀어 일컫는다(국가기술표준원, 2010).

"국가기술표준원(2010)에서는
제품의 특성에 따라 인조잔디 시스템에는
충전재가 포함되지 않을 수 있으며,
충격흡수 패드 및 충격흡수 배수판은
추가적으로 포함하여 적용할 수 있다고 규정하고 있다.
또한 인조잔디 시공 시,
인조잔디 시스템의 각 구성 요소들에서는
악취 및 심한 냄새가 나지 않아야 한다고 명시하고 있다."

국가기술표준원(2010)에서는 제품의 특성에 따라 인조잔디 시스템에는 충전재가 포함되지 않을 수 있으며, 충격흡수 패드 및 충격흡수 배수판은 추가적으로 포함하여 적용할 수 있다고 규정하고 있다. 또한 인조잔디 시공 시, 인조잔디 시스템의 각 구성 요소들에서는 악취 및 심한 냄새가 나지 않아야 한다고 명시하고 있다.

국가기술표준원에서는 인조잔디 파일 길이와 시스템에서의 탄성 칩 포함 유무, 충격흡수 패드 및 충격흡수 배수판 포함 유무, 시스템 충격흡수성 등을 기준으로 다음 [표 1-2]와 같이 인조잔디 시스템의 종류를 구분하여 제시하고 있다.

인조잔디 시스템의 종류를 구분하는 파일(pile), 탄성칩, 충격흡수 패드 및 충격

∝ **표 1-2 | 인조잔디 시스템 종류**

종류	파일길이	탄성칩	충격흡수 (패드/배수판)	시스템 충격흡수성
A-1	34, 45, 55, 65	포함	불포함	50% 이상
A-2	35, 45, 55, 65	포함	포함	50% 이상
B	35, 45	불포함	포함	50% 이상
C	20, 25, 35, 45	불포함	불포함	20% 이상
D	10, 15, 20, 25, 35	불포함	포함	20% 이상
E	10, 15, 20, 25, 35	포함	불포함	10% 이상
F	10, 15, 20, 25, 35	불포함	불포함	10% 이상
G-1	35, 45, 55, 65	포함	포함	57-68%
G-2	35, 45, 55, 65	불포함	포함	57-68%
H-1	35, 45, 55, 65	포함	포함	62-58%
H-2	35, 45, 55, 65	불포함	포함	62-58%

비고 1. 규사는 재생 규사를 사용할 수 없으며, 제품 용도 특성에 따라 사용할 수 있다.
비고 2. 상기 용도는 대표 용도이며, 인조잔디의 종류는 당사자 간의 협의에 따를 수 있다.
출처 ; 국가기술표준원 인조잔디시스템 국가표준(KS F 3888-1)

흡수 배수판 등의 재질이나 시공 방법, 각 요소들의 구조화 방법 등에 따라 인조잔디 시스템의 기능 및 상태가 결정되며, 이에 따라 용도에 맞는 인조잔디 시스템을 선택할 수 있다.

인조잔디 시스템을 구성하는 방법은 [그림 1-10]과 같이 여러 가지 형태로 구성할 수 있다. '예시 1'은 55㎜의 인조잔디 매트를 시공하고 높이 15㎜ 정도로 규사를 포설 후 25㎜의 높이로 충전재를 포설하는 방식으로 구성된 인조잔디 시스템이다. 충격흡수 패드 또는 충격흡수 배수판을 사용하지 않고 인조잔디 시스템을 구성할 경우 탄성칩 충전재의 양은 약 11~13kg/㎡를 포설해야 한국 공업규격(KS; Korean Standards)에서 제시하고 있는 인조잔디 충격흡수성 50% 기준에 부합할 수 있다는

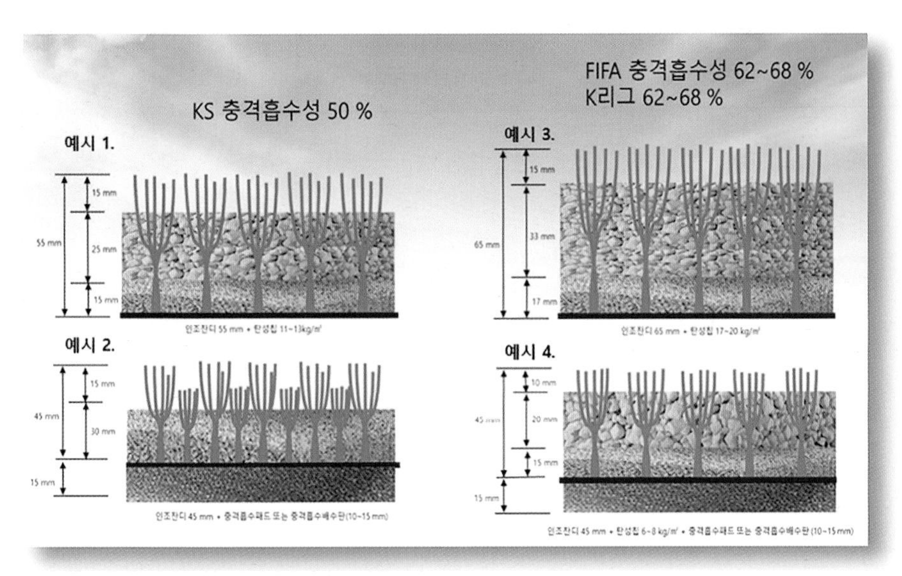

그림 1-10 | 인조잔디 시스템의 구성 원리

것이다.

'예시 2'는 두께 15㎜의 충격흡수 패드 또는 충격흡수 배수판을 인조잔디 하부에 설치하고 그 상단에 파일 길이 45㎜의 인조잔디 매트를 시공하고 충전재를 포설하는 형태로 구성된 인조잔디 시스템이다. 충격흡수 패드 또는 충격흡수 배수판을 하부에 설치할 경우에는 45㎜ 길이의 파일만 사용해도 한국 공업규격(KS; Korean Standards)에서 제시하는 충격흡수성 기준을 충족할 수 있다는 것이다.

'예시 3'과 '예시 4'는 FIFA(국제축구연맹) 및 국내 K 리그에서 제시하는 인조잔디 충격흡수성 기준 62%~68%에 부합하기 위한 인조잔디 시스템의 구성 및 시공의 예이다.

[그림 1-10]에서 알 수 있듯이 충격흡수 패드 또는 충격흡수 배수판을 설치할 경우 45㎜의 파일만 사용하여도 KS 기준 및 FIFA와 K리그 기준을 충족시킬 수 있으며 이 경우 비용과 시간을 절감할 수 있으므로 최근에 시공되는 인조잔디 시스템

은 충격흡수배수 패드, 충격흡수 배수판 등의 사용이 증가하는 추세이다.

인조잔디 시스템 요소들의 재질이나 형태는 물론 다양한 시스템 구성 및 시공 방법에 따라 인조잔디 구장의 특성 및 기능이 결정되며, 사용 목적에 따라 적합한 인조잔디 시스템이 적용되게 된다.

인조잔디 시스템(Artificial turf system)의 품질 기준

인조잔디 시스템은 경기장에서 선수들이 천연잔디에서의 경기력에 상응할 수 있는 품질 수준을 확보하여야 하며, 선수들의 안전을 확보할 수 있는 상태를 유지하여야 한다. 따라서 인조잔디 시스템은 인조잔디의 종합적인 성능을 평가할 수 있어야 한다.

우리나라의 한국 공업규격(KS; Korean Standards)에서는 국내 인조잔디의 명확한 품질 기준을 제시하고 소비자를 보호하기 위하여 한국산업표준(KS F 3888-1)을 제정하고 표준에 따르도록 하고 있다.

한국산업표준인 'KS F 3888-1'은 생활체육시설에 사용하는 인조잔디의 품질 기준 및 시험방법 등을 규정하고 있다.

즉, 'KS F 3888-1'에서는 인조잔디 충전재와 파일의 길이에 따라 용도를 구분하여, 인조잔디 매트, 충전재, 파일 원사, 충격흡수 패드 및 충격흡수 배수판 등 인조잔디 시스템의 구성요소들이 갖추어야 할 품질 기준 및 시험 방법 등을 제시하여 인조잔디 시스템의 발전과 효율적 유지·관리를 위한 체계화된 표준을 마련하고 있다.

인조잔디 시스템의 품질 및 기능성 평가는 주로 인조잔디 구장(ground)에서의 사용자 활동 안전과 관련된 항목들로 구성되어 있다.

"한국산업표준인 'KS F 3888-1'은
생활체육시설에 사용하는 인조잔디의 품질 기준 및 시험방법 등을 규정"

구체적 시험 항목은 인조잔디 표면의 충격하중과 관련된 '충격 흡수성' 평가를 비롯해 인조잔디에 가해지는 일정 하중에 대한 수직 방향 처짐량을 측정하는 '수직 방향변형', 인조 잔디 표면과 접촉하고 있는 하중이 실어진 발(foot)이 회전하기 위하여 필요한 토크(torque)[9]를 측정하는 '회전 저항', 피부와 잔디 표면 사이의 마찰 계수를 평가하는 '피부/표면 마찰' 등이 있다.

또한 인조 잔디의 일정한 품질 상태를 평가하기 위한 시험 평가 항목으로 인조잔디 표면 위에서 일정한 기준 거리 내에서 공(球)이 이동하는가를 측정하는 '공 구름' 측정, 공(球)이 인조잔디 표면으로부터 일정한 높이의 수직 반발 높이를 충족하는가를 평가하는 '공 반발' 측정, 그리고 인조잔디 시스템에서의 배수와 관련하여 물이 빠지는 정도를 측정하는 '투수 성능' 시험 등이 실시된다.

그 외에 인조잔디 시스템 표면의 기계적 마모를 모사하기 위한 시험으로 스터드(stud) 마모 시험[10]에 대한 기준도 제시하고 있다.

다음 [표 1-3]은 한국 공업규격(KS : Korean Standards)에서 제시하고 있는 인조잔디 시스템의 각 시험 항목별 품질 기준이다.

단, 인조잔디와 관련된 한국산업표준인 'KS F 3888-1'은 주로 내구성에 특화된 실외 다용도 생활 체육시설용 인조잔디에 대한 표준이라는 점에서 스포츠 각 종목별 활동 특성이 고려된 인조잔디 품질의 표준이 요구된다.

9) 토크(torque) : 회전축을 중심으로 순간적으로 회전하는 힘의 동기, 회전력이라고 함
10) 스터드(stud) 마모 시험 : 인조잔디 내구성 평가 시험

따라서 각 스포츠 종목별 공식 협회 등에서는 해당 종목의 활동 특성에 적합한 인조잔디 품질 기준을 설정하고 이를 준수 할 것을 규정하고 있다.

국내 프로축구리그인 K 리그(K-League)에서는 2017년 9월, 인조잔디 구장에서의 선수들의 안전과 경기력 확보를 위하여 한국프로축구 특성에 맞는 인조잔디 제

∝ **표 1-3 | 인조잔디 시스템 품질 기준**

시험항목		품질기준							
		A	B	C	D	E	F	G	H
충격흡수성(%)		50 이상	50 이상	20 이상	20 이상	10 이상	10 이상	57~68	62~68
수직방향변형(㎜)		3~10	3~10	10 이하	10 이하	10 이하	10 이하	4~11	4~10
한계하강높이(㎜)		-	700 이상	700 이상	700 이상	-	-	-	-
회전저항(Nm)		25~50	25~50	-	-	-	-	27~48	32~43
피부/표면마찰		0.35~1.00	0.35~1.00	-	-	-	-	0.35~0.75	0.35~0.75
공 반발력(m)		0.50~1.20	0.50~1.20	-	-	-	-	0.60~1.00	0.60~0.85
공 구름(m)		-	-	-	-	-	-	4-10	4-8
투수 성능(㎜/h)		180 이상	180 이상	180 이상	180 이상	180 이상	180 이상	180 이상	180 이상
스터드마모	충격흡수성(%)	35 이상	35 이상	-	-	-	-	-	-
	수직방향변형(㎜)	3-10	3-10	-	-	-	-	-	-
	파일인발력(N)	40 이상	40 이상	-	-	-	-	-	-
XL스터드마모	충격흡수성(%)	-	-	-	-	-	-	57~68	62~68
	수직방향변형(㎜)	-	-	-	-	-	-	4-11	4-10
	회전저항(Nm)	-	-	-	-	-	-	27-48	32-43
	공 반발력(m)	-	-	-	-	-	-	0.60~1.00	0.60~0.85
	공 구름(m)	-	-	-	-	-	-	4-12	4-8

출처 : 국가기술표준원 인조잔디시스템 국가표준(KS F 3888-1)

품 및 인조잔디 경기장(ground)에 대한 품질 기준을 마련하고 이를 충족하는 제품 및 시설에 인증을 부여하는 'K 리그 그라운드 공인제도'를 실시하고 있다.

'K 리그 그라운드 공인제도'에서 제시하는 품질규격 기준은 다음 [표 1-4]와 같다.

표 1-4 | K 리그 인조잔디 시스템 품질규격

시 험 항 목	K-GT1			K-GT2			K-GT3		
	요구사항		지점별 일관성	요구사항		지점별 일관성	요구사항		지점별 일관성
수직 공반발(cm)	60 - 85		±5%	60 - 100		±10%	60 - 100		±10%
공구름(m)	최초 인증	4-8	±10%	최초 인증	4-10	±15%	최초 인증	4-10	±15%
	재인증	4-8	±10%	재인증	4-12	±15%	재인증	4-12	±15%
충격흡수성(%)	60-70		±5%	55-70		±10%	55-70		±10%
수직방향변형(㎜)	4-10		±10%	4-11		±15%	4-11		±15%
회전저항(N m)	30-45		±6%	25-50		±10%	25-50		±10%
평탄도(㎜)	≤10		-	≤10		-	≤10		-
파일 높이	참고용		-	참고용		-	참고용		-
충전재 깊이	참고용		-	참고용		-	참고용		-

인조잔디 시스템(Artificial turf system) 구성요소의 품질 기준

인조잔디 매트(mat)의 품질 기준

인조잔디 시스템(Artificial turf system)을 구성하는 요소 중, 인조 잔디 매트(mat) 원사의 품질 기준은 일반적으로 'FIFA Quality Programme for Football Turf Handbook of Test Methods'[11]에서 제시하고 있는 기준을 적용한다.

FIFA Test Method 10(9,600±125)kg/㎡(340㎜)의 원사 인공 환경 내후성[12]에 따라 인조잔디 매트 원사 품질 시험에서 변퇴색은 3급 이상, 인장강도 변화율은 25% 이하의 품질을 충족해야 한다.

인조잔디 매트 원사의 총 섬도(denier)[13] 및 단사 섬도(denier per filament) 품질 기준은 대부분 2,000 이상의 섬도를 확보해야 하며, 단위 면적 당 파일사의 무게는 파일 길이(10㎜~65㎜)에 따라 각각 650g/㎡~1,950g/㎡ 이상의 기준을 충족해야 한다.

인조잔디 매트의 마도 강도는 2,000회 마모를 기준으로 10% 이하의 질량 변화를 나타내야 하며, 방염 성능도 잔염 시간 20s 이내, 탄화 거리 10㎝ 이내의 성능 기준에 준하도록 하고 있다. 접합강도는 250N/100㎜ 이상의 강도를 요구하고 있으며 인발력도 50N~80N 이상의 기준을 충족해야 한다. 또한 상온에서 침수 후(23°C, 72h)의 인발력도 각 상태 시험값의 80% 이상을 유지하도록 하고 있다.

내광성[14]과 관련된 인발력은 40N 이상을 충족해야 하며 변퇴색은 3급 이상의 기준을 확보해야 한다.

11) https://www.actglobal.com/research/fqp-handbook-of-test-methods-2015-v30-w-cover.pdf.

12) 내후성(耐候性) : 옥외에서 일광, 풍우, 무상, 한난, 건습 등의 자연작용에 저항하여 쉽게 변하지 않는 성질(출처 : 기계공학대사전)

13) 섬도(denier) : 각종 섬유나 실의 굵기

14) 내광성 : 빛에 바래지 않고 잘 견디어 내는 성질

국가기술표준원에서 제시하는 인조잔디 매트의 품질기준은 다음 [표 1-5]와 같다.

표 1-5 | 인조잔디 매트의 품질 기준

평가항목		품질기준							
		A	B	C	D	E	F	G	H
원사 총 섬도 (denier)		-	-	2,000 이상	2,000 이상	2,000 이상	2,000 이상	-	-
원사 단사 섬도 (denier per filament)		2,000 이상	2,000 이상	-	-	-	-	2,000 이상	2,000 이상
단위 면적 당 파일사 무게(g/㎡)	10㎜	-	-	-	1,100 이상	650 이상	650 이상	-	-
	15㎜	-	-	-	1,250 이상	800 이상	800 이상	-	-
	20㎜	-	-	1,200 이상	1,400 이상	950 이상	950 이상	-	-
	25㎜	-	-	1,350 이상	1,550 이상	1,100 이상	1,100 이상	-	-
	35㎜	-	1,500 이상	1,650 이상	1,850 이상	1,400 이상	1,400 이상	1,500 이상	1,500 이상
	45㎜	-	1,800 이상	1,950 이상	-	-	-	1,800 이상	1,800 이상
	55㎜	1,650 이상	-	-	-	-	-	1,650 이상	1,650 이상
	65㎜	1,950 이상	-	-	-	-	-	1,950 이상	1,950 이상
마모강도 (2,000회 마모, 질량변화 %)		10 이하							
방염성능(45°법)		잔염 시간 20s 이내, 탄화 거리 10cm 이내							
접합 강도(N/100㎜)		250 이상							
인발력(N)	상태	80 이상	80 이상	50 이상	50 이상	-	-	80 이상	80 이상
	상온 침수 후 (23°C, 72h)	상태 시험값의 80% 이상				-	-	상태 시험값의 80% 이상	
내광성	인발력 (N)	40 이상	40 이상	40 이상	40 이상	40 이상	40 이상	-	-
	변퇴색 (급)	3급 이상	3급 이상	3급 이상	3급 이상	3급 이상	3급 이상	-	-

비고 ; 파일 길이의 허용 오차는 ±2㎜ 이하이여야 함
출처 : 국가기술표준원 인조잔디시스템 국가표준(KS F 3888-1)

국가기술표준원의 인조잔디 시스템 표준에는 매트의 파일과 매트의 백 코팅(back coating)이 포함된 기포지의 유해 물질에 대한 기준도 제시하고 있다.

일반적으로 납(Pb), 카드뮴(Cd), 6가 프로뮴(Cr^{6+}), 수은(Hg) 등의 중금속 함량 및 휘발성 유기 화합물인 벤젠(Benzene), 톨루엔(Toluene), 에틸벤젠(Ethyl benzene), 키실렌(Xylene) 등의 유해 물질 함량에 대한 품질 기준도 [표 1-6]에서와 같이 마련되어 있다.

∝ **표 1-6 | 인조잔디 매트의 유해물질 품질기준**

평가항목		품질기준
중금속 (mg/kg)	납(Pb)	90 이하
	카드뮴(Cd)	50 이하
	6가 프로뮴(Cr^{6+})	25 이하
	수은(Hg)	25 이하
총 휘발성 유기화합물 (T-VOCs) (mg/kg)	벤젠(Benzene)	총량 50 이하
	톨루엔(Toluene)	
	에틸벤젠(Ethyl benzene)	
	키실렌(Xylene)	
다환 방향족 탄화수소 (PAHs) (mg/kg)		총량 10 이하

출처 : 국가기술표준원 인조잔디시스템 국가표준(KS F 3888-1)

인조잔디 매트에서의 중금속 용출 한계는 [표 1-7]에 나타난 바와 같이 각각의 원소별 기준을 충족해야 하며, 프탈레이트계 가소제는 총량의 0.1% 이하의 품질 기준을 확보해야 한다.

∝ **표 1-7 | 인조잔디 매트의 중금속 용출 품질기준**

평가항목	중금속 용출													
	Al	Sb	As	Ba	B	Cr	Co	Cu	Mn	Ni	Se	Sr	Sn	Zn
품질기준	70,000 이하	560 이하	47 이하	18,750 이하	15,000 이하	460 이하	130 이하	7,700 이하	15,000 이하	930 이하	460 이하	56,000 이하	180,000 이하	46,000 이하

출처 : 국가기술표준원 인조잔디시스템 국가표준(KS F 3888-1)

원소별 검출 한계는 알루미늄(Al), 붕소(B), 망간(Mn), 스트론튬(Sr), 아연(Zn) 등은 250mg/kg 이하이며, 구리(Cu)는 50mg/kg 이하, 코발트(Co), 니켈(Ni)은 10mg/kg 이하, 안티모니(Sb), 바륨(Ba), 크롬(Cr), 납(Pb), 셀레늄(Se), 주석(Sn), 유기주석(organic tin)은 5mg/kg 이하, 비소(As) 3mg/kg 이하, 6가 크로뮴(Cr^{6+}), 수은(Hg), 카드뮴(Cd) 등은 1mg/kg 이하로 장비의 검출 한계를 지켜 시험이 이루어져야 한다.

그 밖에 유기주석에 해당되는 Methly tin(MeT), Butly tin(BuT), Di-n-propyl tin(DProT), Dibutyl tin(DBT), Tributyl tin(TBT), n-Octyl tin(MOT), Tetrabutyl(TeBT), Diphenyl tin(DPhT), Di-n-octyl tin(DOT), Triphenyl tin(TPhT) 등 10종의 중금속 용출 한계는 총량 12mg/kg 이하의 유해 물질 품질 기준을 충족해야 한다.

또한 총 휘발성 유기 화합물(T-VOCs) 중 벤젠(Benzene)의 함유량은 1mg/kg 이하의 기준을 준수하도록 하고 있다.

충격흡수 패드 및 충격흡수 배수판의 품질 기준

인조잔디 시스템을 구성하는 요소 중 충격흡수 패드(shock pad) 및 충격흡수 배수판(shock-drain pad)은 고무 롤시트나 고무칩 롤시트, 연질 발포 플라스틱 등을 재질로 제작할 수 있으며, 용도에 따라 기타 적절한 재질을 사용할 수 있다. 인조잔디 제품의 종류 및 기능에 따라서는 충격흡수 패드 및 충격흡수 배수판을 사용하지 않을 수도 있다.

국가기술표준원에서는 다음 [표 1-8]과 같이 충격흡수 패드 및 충격흡수 배수판의 품질 기준을 제시하고 있다.

충격흡수 패드(shock pad) 및 충격흡수 배수판(shock-drain pad)의 원소별 검출 한계, 유기주석 10종의 중금속 용출 한계, 총 휘발성 유기 화합물(T-VOCs) 중 벤젠(Benzene)의 함유량 등은 모두 적용되는 기준이 인조잔디매트와 같다.

∝ **표 1-8 | 충격흡수 패드 및 충격흡수 배수판 품질기준**

평가 항목		영구 압축률 (%)	치수 안정성 (%)	인장 강도 (MPa)	신장률 (%)	내오존 성능 ((50±5)pphm, 96h)		충격 흡수성 (%)	노화성능 (70±2℃, 336h), 인장강도	피로성능 ((750±50)N, 10,000회)	
						인장 강도 (MPa)	신장률 (%)			충격 흡수성 (%)	두께
품질 기준	A	25 이하	±5 이하	0.35 이상	40 이상	0.25 이상	30 이상	25 이상	- / -	- / -	- / -
	B	-	-	0.15 이상	-	0.15 이상	-	25 이상	0.15 이상 / 시험 전 대비 75%이상	25 이상 / 시험 전 대비 ±5%이하	시험 전 대비 85% 이상

평가 항목	납(Pb) (mg/kg)	카드뮴(Cd) (mg/kg)	6가 프로뮴(Cr^{6+}) (mg/kg)	수은(Hg) (mg/kg)
품질 기준	90 이하	50 이하	25 이하	25 이하

평가 항목	중금속 용출													
	Al	Sb	As	Ba	B	Cr	Co	Cu	Mn	Ni	Se	Sr	Sn	Zn
품질 기준	70,000 이하	560 이하	47 이하	18,750 이하	15,000 이하	460 이하	130 이하	7,700 이하	15,000 이하	930 이하	460 이하	56,000 이하	180,000 이하	46,000 이하

평가 항목	총 휘발성 유기 화합물(TVOCs) (mg/kg)	다환 방향족 탄화수소(PAHs) (mg/kg)	프탈레이트계 가소제 (%)
품질 기준	총량 50 이하	총량 10 이하	총량 0.1 이하

출처 : 국가기술표준원 인조잔디시스템 국가표준(KS F 3888-1)

탄성칩(elastic chip)의 품질 기준

인조잔디 시스템을 구성하는 요소 중 탄성칩(elastic chip)은 소재에 따라 고무 소재, 천연 소재, 탄성 열가소성 소재 등으로 구분하며, 생산 형태에 따라 분쇄형(crush)과 압출형(granule type) 등으로 구분할 수 있다.

탄성칩은 여름 더위에 칩(chip)이 녹아 끈적거리거나 뭉치지 말아야 하며, 추운 겨울에는 굳거나 부서지지 않아야 한다. 탄성칩은 오랜 시간동안의 사용으로 탄성칩의 기능이 저하되었거나, 칩(chip)이 손상되어 부서지거나 엉킴 현상 등이 발생되면 새로운 칩(chip)으로 충전하거나 교체해 주어야 한다.

국가기술표준원에서 제시하고 있는 인조잔디용 탄성칩(elastic chip)의 품질 기준은 다음 [표 1-9]와 같다.

∝ **표 1-9 | 인조잔디용 탄성칩 품질기준**

평가항목		품질기준
입자크기(%)	3.35㎜ 초과	3 이하
	1.4㎜-3.35㎜	94 이하
	0.5㎜-1.4㎜	2 이하
	0.5㎜ 미만	1 이하
비중		1.50 이하
내열성(%)		3 이하
내충격성(%)		1.2 미만
인공환경 내후성-변퇴색(급)		3등급 이상

출처 : 국가기술표준원 인조잔디시스템 국가표준(KS F 3888-1)

인조잔디용 탄성칩(elastic chip)의 유기주석 10종 및 각 원소별 검출 한계는 인조잔디 매트와 충격흡수 패드(shock pad) 및 충격흡수 배수판(shock-drain pad)의 원소별 검출 한계와 동일하다. 또한 총 휘발성 유기화합물(T-VOCs) 중 벤젠(Benzene)의 함유량은 1mg/kg 이하의 기준을 충족해야 한다.

국가기술표준원에서 제시하는 인조잔디용 탄성칩의 유해물질 검출 기준은 다음 [표 1-10]과 같다.

표 1-10 | 인조잔디용 탄성칩 유해물질 품질기준

평가항목	납(Pb) (mg/kg)	카드뮴(Cd) (mg/kg)	6가 프로뮴(Cr^{6+})(mg/kg)	수은(Hg)(mg/kg)
품질기준	90 이하	50 이하	25 이하	25 이하

평가항목	중금속 용출													
	Al	Sb	As	Ba	B	Cr	Co	Cu	Mn	Ni	Se	Sr	Sn	Zn
품질기준	70,000 이하	560 이하	47 이하	18,750 이하	15,000 이하	460 이하	130 이하	7,700 이하	15,000 이하	930 이하	460 이하	56,000 이하	180,000 이하	46,000 이하

평가항목	총 휘발성 유기 화합물(TVOCs) (mg/kg)	다환 방향족 탄화수소(PAHs) (mg/kg)	프탈레이트계 가소제 (%)
품질기준	총량 50 이하	총량 10 이하	총량 0.1 이하

출처 ; 국가기술표준원 인조잔디시스템 국가표준(KS F 3888-1)

스포츠경기장(Sports ground)의 인조잔디

스포츠경기장(Sports ground)의 인조잔디 사용 유래와 적용

인조잔디가 스포츠 구장에 처음 설치된 것은 1966년 텍사스 주(州) 휴스턴 시(市)의 애스트로 돔(Astro dome) 구장이다. 애스트로 돔(Astro dome)은 1965년에 완공된 세계 최초의 돔구장으로 개장 당시 경기장 바닥은 천연잔디로 조성되어 있었다. 그러나 천연잔디의 생육을 위한 천장 구조물의 채광창은 경기 중 선수들의 시야에 방해가 되었으며, 결국 정상적인 경기를 위해 천장의 채광창을 폐쇄함으로써 천연잔디는 더 이상 사용할 수 없게 되었다.

애스트로 돔(Astro dome) 구장 측은 경기장 완공 이듬해인 1966년, 사용할 수 없게 된 천연잔디를 대신하여 당시 주로 도심의 녹지 조성용으로 활용되고 있던 합성 인조잔디를 애스트로 돔(Astro dome) 그라운드에 설치하였다.

애스트로 돔(Astro dome) 구장에서의 성공적인 인공 잔디 적용은 스포츠 경기장에서의 인조 잔디에 대한 상품성과 활용성을 입증하게 되었으며, 이후 많은 스포츠

그림 1-11 | 애스트로 돔(Astro dome)의 인조잔디 설치
출처 : 전훈칠(2020). "상상할 수 있는 '야구적 호기심'의 한계, 애스트로돔"

경기장에서 인공 잔디를 활용하게 되는 계기가 되었다(전훈칠, 2020).

최초 발명 당시 인조잔디는 녹색의 실내·외 플라스틱 카펫 정도로 여겨졌으나, 점차 인조잔디 제작 기술이 발달하면서 천연잔디의 품질에 가깝게 되었으며, 야구장은 물론 축구장, 필드하키장, 각종 실내 인테리어 및 레저시설 등의 전천후 시설로 각광 받게 되었다.

한국 최초의 인조잔디 경기장은 1983년 8월에 개조된 서울 효창운동장이다. 1960년 개장 당시 효창운동장 그라운드는 천연잔디로 조성되었으나, 이후 잔디 관리가 제대로 이루어지지 않아 운동장 바닥은 흙바닥이나 다름없는 상태가 되었다. 이에 1983년 효창운동장의 개·보수가 시작되었으며, 경기장 그라운드에 우리나라 최초로 인조잔디를 설치하였다.

1960년대 중반부터 미국과 일본의 스포츠 경기장에서 주로 사용된 인조잔디는

그림 1-12 | 서울 효창운동장 인조잔디 설치
출처 : 서울기록원[15]

1990년대에 이르러 인조잔디에서의 부상 위험성, 인조잔디 소재의 유해성 등이 문제점으로 논란이 되기 시작했으며 최근에는 천연잔디나 하이브리드 잔디 등으로 교체되고 있는 실정이다.

현재 미국 프로야구 리그인 메이저리그 구단 중에는 '애리조나(Arizona) 다이아몬드 백스(Diamond Backs)'의 '체이스 필드(Chase field)' 구장과 '텍사스(Texas) 레인저스(Rangers)' 구단의 '글로브 라이프 필드(Globe Life field)', '마이애미(Miami) 말린스(Marlins)'의 '말린스 파크(Marlins park)' 등과 같이 비교적으로 폭염이 심한 지역의 구장들을 중심으로 인조잔디를 채택하여 사용 중에 있다.

우리나라의 프로야구 경기장에는 과거 인조잔디가 주로 사용되기도 하였으나, 현재 그라운드 중심에 인조잔디가 깔린 KBO리그 1군 정규 경기장은 서울 고척 스카이돔(Sky dome)이 유일하다.

15) https://archives.seoul.go.kr/item/0000000000007498

축구계에서도 천연잔디와 인조잔디를 혼합한 하이브리드 잔디(Hybrid turf)를 도입을 시도하고 있다.

하이브리드 잔디(Hybrid turf)는 천연잔디와 인조잔디를 혼합하여 내구성을 강화한 형태의 잔디시스템이다. 하이브리드 잔디는 천연잔디의 뿌리가 인조잔디를 잡아 디봇이 덜 발생하도록 고안된 개념이다.

국내에서는 2018년 축구 국가대표 훈련장인 파주 NFC(Paju National Football Center)에 시범적으로 설치한 바 있으며, 2022년에는 정식 경기장으로는 서울 월드컵 경기장에 처음으로 하이브리드 잔디가 적용되어 운영 중이다.

반면, 필드하키 종목의 경우, 국제대회를 개최하기 위해서는 반드시 물을 뿌린 인조잔디 경기장에서 경기를 진행해야 한다는 규칙 때문에 인조잔디로 구성된 경기장을 필요로 한다.

스포츠경기장(Sports ground) 인조잔디 시스템의 발전

1956년 미국에서 인조잔디가 처음 발명된 이래, 1960년대 중반부터 스포츠 구장에 인조잔디가 도입되기 시작하였다. 1966년 미국 휴스턴 시(市)의 애스트로 돔(Astrodome) 구장에 처음으로 인조잔디가 시용되면서 이른바 '애스트로 터브(Astro Turf)'로 불려진 '1세대 인조잔디 시스템'은 1960년대에서부터 1970년대 중반까지 스포츠 현장에서 사용되었다.

'1세대 인조잔디 시스템'은 충전재가 없는 폴리아미드(Polyamide) 재질의 짧은 잔디 파일(pile)로 구성되어 있어 실내·외용 카페트 수준에 지나지 않았다. 이로 인해 인조잔디 구장에서는 마찰에 의한 선수들의 화상(friction burns)과 그 밖의 부상의

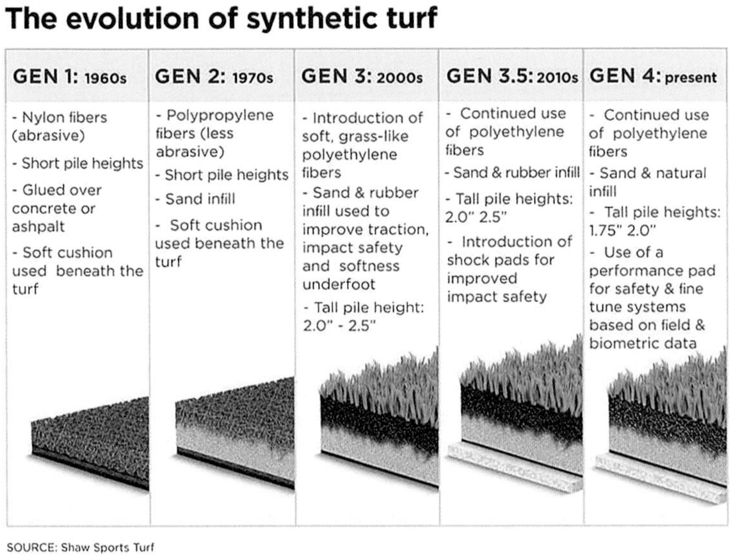

The evolution of synthetic turf

GEN 1: 1960s	GEN 2: 1970s	GEN 3: 2000s	GEN 3.5: 2010s	GEN 4: present
- Nylon fibers (abrasive) - Short pile heights - Glued over concrete or ashpalt - Soft cushion used beneath the turf	- Polypropylene fibers (less abrasive) - Short pile heights - Sand infill - Soft cushion used beneath the turf	- Introduction of soft, grass-like polyethylene fibers - Sand & rubber infill used to improve traction, impact safety and softness underfoot - Tall pile height: 2.0" - 2.5"	- Continued use of polyethylene fibers - Sand & rubber infill - Tall pile heights: 2.0" 2.5" - Introduction of shock pads for improved impact safety	- Continued use of polyethylene fibers - Sand & natural infill - Tall pile heights: 1.75" 2.0" - Use of a performance pad for safety & fine tune systems based on field & biometric data

SOURCE: Shaw Sports Turf

그림 1-13 | 인조잔디 시스템 세대 변천
출처 : Grobal Sport Matters[16]

위험이 심각했으며 선수들의 불만도 높아졌다. 이러한 이유로 이후 인조잔디 구장들은 천연잔디로 다시 돌아가는 현상이 발생하였다.

높은 부상 위험성과 표면 재료의 유해 물질 등 '1세대 인조잔디 시스템'이 갖는 문제점을 해결하기 위한 대책이 강구되기 시작하였으며, '1세대 인조잔디 시스템'의 문제점을 개선하고 보완한 '2세대 인조잔디 시스템'이 1976년 몬트리올 올림픽 필드하키 경기장에 사용되면서부터 이후 스포츠 구장에 다시 활발하게 적용되기 시작하였다.

'2세대 인조잔디 시스템'은 폴리프로필렌(Polypropylene) 재질로 인조잔디 파일이

16) https://globalsportmatters.com/health/2019/06/14/for-better-health-safety-of-athletes-which-playing-surface-is-best/

제작되었으며, '1세대 인조잔디 시스템'에 비해 상대적으로 파일 길이도 길어졌다. 또한 기포지(woven fabric) 내에 모래가 충전재로 보강되었다는 특징을 갖는다.

이후 인조잔디 시스템에 대한 지속적인 연구와 개선이 이루어졌으며, 1990년대에 현재까지도 가장 널리 사용되고 있는 '3세대 인조잔디 시스템'이 개발되었다.

'3세대 인조잔디 시스템'은 주로 폴리에틸렌(Polyethylene) 재료를 사용하며, 이전에 비해 더 길어진 잔디 파일(50~60㎜)로 구성되었다. 또한 천연잔디 구장과 더욱 유사하게 만들기 위하여 규산 성분(siliceous)의 모래와 고무 과립을 혼합한 충전재를 사용하였다(Steffen et al., 2007). 따라서 '3세대 인조잔디 시스템'은 기존 세대 제품에 비해 선수들의 부상 위험이 감소 되었으며, 안정성 및 충격흡수성이 개선되었다.

'3.5세대 인조잔디 시스템'은 여전히 '3세대 인조잔디 시스템'과 같은 재질의 원사와 충전재를 사용하지만, 예전에 비해 기능적으로 좀 더 개선된 시스템으로써, 충격 안전성 향상을 위한 충격흡수 패드(shock pad)를 도입하였다.

최근의 '4세대 인조잔디 시스템' 역시 현재 가장 널리 사용되고 있는 '3세대 인조잔디 시스템'을 기반으로 하지만, 예전과 달리 좀 더 현장 및 생체 정보 데이터(data)를 기반으로 하여, 안전 및 미세 조정 시스템을 위한 성능 패드를 사용한다는 특징을 갖는다.

스포츠경기장(Sports ground)용 인조잔디 시스템 특성

스포츠 경기장(ground)의 인조잔디는 선수들의 안전뿐만 아니라 경기력 향상과 유지에도 영향을 미친다.

스포츠 경기장에 적용되는 인조잔디는 잔디 파일(pile)의 길이나 원사의 재질에 따라 구분하여 적절한 용도로 사용된다.

일반적으로 잔디 파일(pile)의 길이를 기준으로 파일 길이 30㎜ 미만의 단(短) 파일과 파일 길이 30㎜ 이상의 장(長) 파일로 구분한다.

잔디 파일 길이가 6㎜, 8㎜, 10㎜, 12㎜ 등 매우 짧은 인조잔디의 경우 무게가 가볍고 시공이 용이하다는 장점이 있다. 그러나 상대적으로 내구성과 복원력이 떨어져 주로 실내 인테리어나 조경용으로 사용된다.

스포츠 경기장 용도로써 잔디 파일 길이 30㎜ 이하의 단파일은 탄력감이 적고 잔디의 밀도가 높으므로 공의 튀어 오름(bound)과 공 구름이 용이한 테니스장, 게이트볼장, 론볼(lawn bowling)장, 골프 퍼팅 그린(putting green) 등에 적용된다.

인조잔디 파일 길이 30㎜ 이상의 장파일은 단파일에 비해 상대적으로 피부와의 접촉면이 넓어 마찰을 줄여줄 수 있으며, 탄력성과 충격흡수성이 우수하므로 축구나 야구와 같이 슬라이딩이나 격한 움직임이 많은 경기종목의 운동장(ground)에 주로 사용된다.

전문 스포츠 경기나 국제경기 등 수준 높은 경기력을 요구하는 경기장의 경우 대부분 35~55㎜ 정도의 인조잔디 파일 길이와 충전재의 조합으로 인조잔디 시스템을 구성하여 최상의 경기력과 선수 안전을 도모하고 있다.

한국 국가기술표준원에서는 2022년 5월 전문 스포츠 경기장의 인조잔디 성능을 국제 수준으로 높이기 위한 한국산업표준(KS)을 개정·공고하였다. 개정된 인조잔디 성능 기준은 국제축구연맹(FIFA)에서 제시하는 엄격한 품질 기준에 부합되는 수준에 이른다.

또한 개정안에는 국제축구연맹(FIFA)이 정한 등급 수준을 반영해 국내에서도 전문경기장용 인조잔디 시스템 품질 기준을 추가하였으며 이를 통해 국제 수준에 부합하는 국내 경기장 인조잔디 시스템을 다변화하였다.

향후 국내 전문 스포츠용 인조잔디 구장은 국제규격의 기준에 부합하는 품질과 성능 기준에 따라 시공 및 유지·관리가 실행되어야 한다.

∝ 표 1-11 | 인조잔디 시스템 특성

인조잔디 파일 길이에 따른 구분	특성 및 용도
	**장(長) 파일(잔디 파일 길이 30㎜ 이상)** · 주로 폴리에틸렌(Polyethylene) 재질 · 유연성, 내구성, 탄성력, 복원력, 충격흡혁 등이 우수함 · 피부와의 마찰이 적어 축구, 야구 등 · 격한 움직임이 많은 경기장에 주로 적용 · 잔디 파일 길이와 충전재의 조합으로 다양한 스포츠 경기장의 용도에 맞게 사용할 수 있음
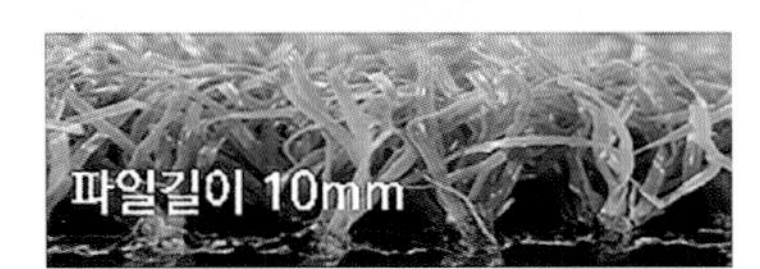	**단(短) 파일(잔디 파일 길이 30㎜ 미만)** · 주로 폴리프로필렌(Polypropylene) 재질 · 강도가 거칠지만 천연잔디와 유사한 느낌 · 가볍고 시공이 용이, 가격 저렴 · 탄력감이 적고 잔디의 밀도가 높으므로 · 공의 튀어 오름(bound)과 공 구름이 용이한 · 테니스장, 게이트 볼장, 론 볼(lawn bowling)장, 골프 퍼팅 그린(putting green) 등에 적용 · 실외에 장기간 노출 시 경화되는 단점이 있음

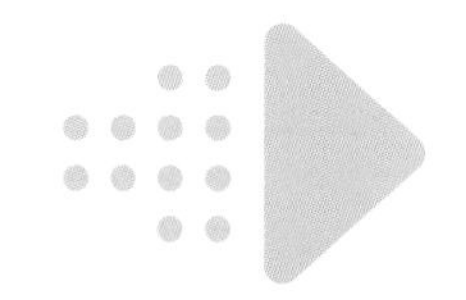

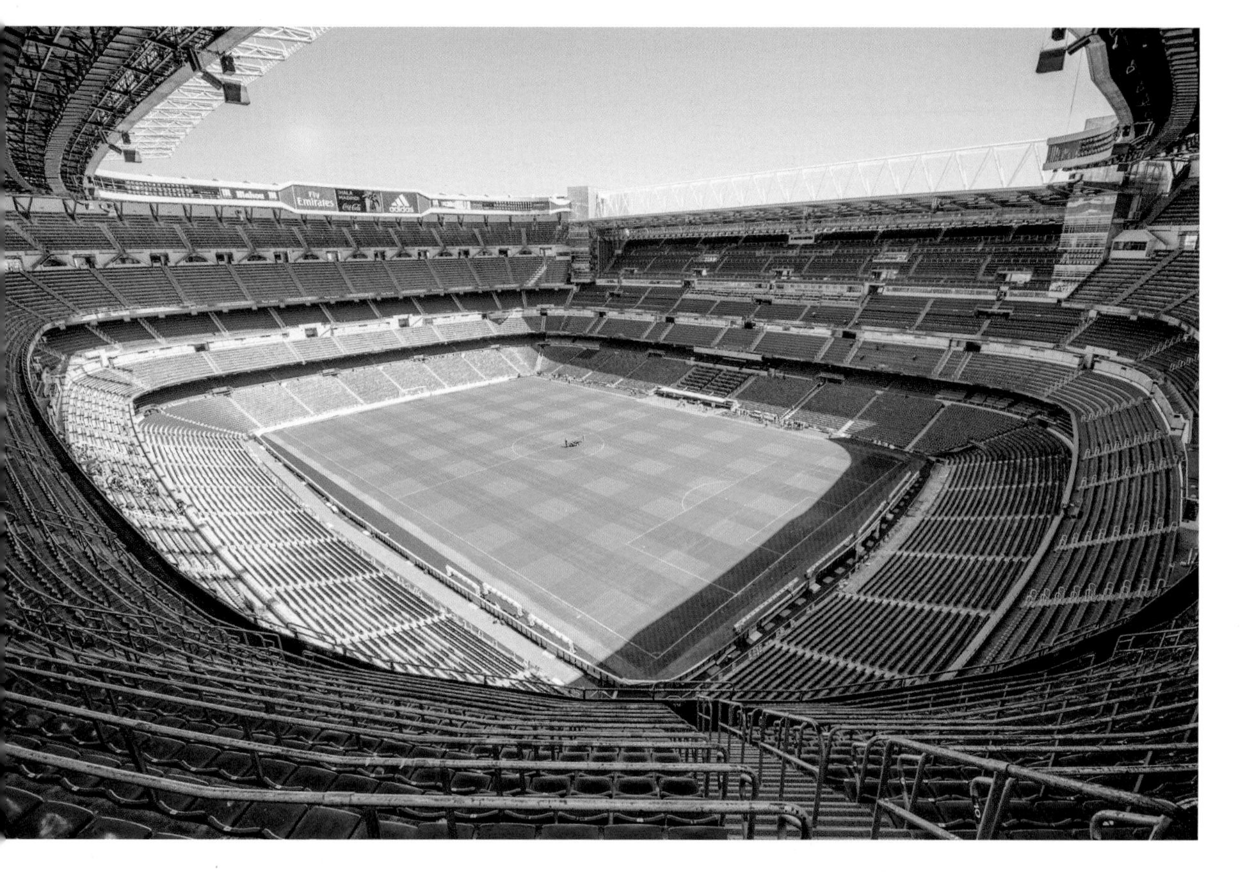

Part 2.

스포츠경기장 인조잔디 시공 및 유지·관리

경기장 인조잔디(Artificial turf) 시공

경기장 인조잔디(Artificial turf) 시공 개념

스포츠 경기를 위한 인조잔디 시스템은 그 특성 상 일반 인조잔디에 비해 상대적으로 높은 품질과 안전성, 기능성 등이 보장되어야 한다.

선수들의 운동장 표면 접지 순간이나 격렬한 활동에서의 부상을 방지하기 위하여 적절한 수준의 충격흡수 및 수직방향 변형, 회전 저항 등을 확보하여야 하며, 공(ball)의 반발력이나 구름(roll) 등도 일정한 수준을 유지할 수 있도록 하여야 한다. 또

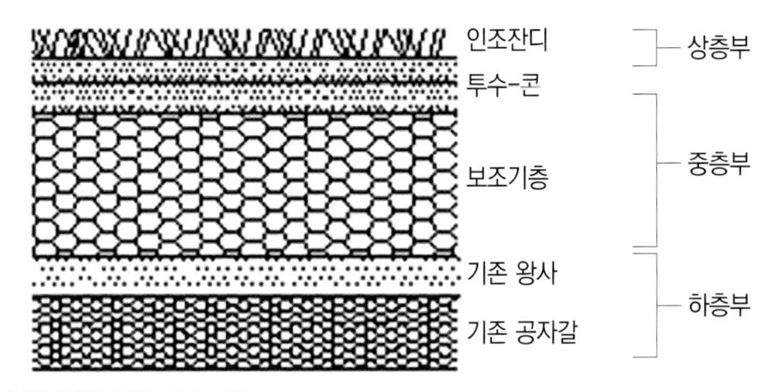

그림 2-1 | 인조잔디 시공 구조 도면

한 우천 시 경기장 그라운드(ground) 내 원활한 배수(排水)가 이루어질 수 있도록 함으로써 경기장 사용 효율성은 물론 선수의 안전 및 경기력 향상도 도모할 수 있다.

"선수들의 운동장 표면 접지 순간이나 격렬한 활동에서의
부상을 방지하기 위하여 적절한 수준의
충격흡수 및 수직방향 변형, 회전 저항 등을 확보하여야 하며,
공(ball)의 반발력이나 구름(roll) 등도
일정한 수준을 유지할 수 있도록 하여야 한다.
또한 우천 시 경기장 그라운드(ground) 내
원활한 배수(排水)가 이루어질 수 있도록 함으로써
경기장 사용 효율성은 물론 선수의 안전 및
경기력 향상도 도모할 수 있다."

경기장 인조잔디 시스템의 시공 구조는 일반적으로 상부층, 중간층 및 하부층으로 구분할 수 있다.

인조잔디 파일로 구성된 상부층은 천연잔디와 유사한 시각적 효과를 연출할 뿐만 아니라 경기 중, 선수들과 직접 접촉이 일어나는 부분이므로 선수의 안전은 물론 경기력에도 영향을 미치게 된다.

또한 중간층과 하부층은 선수의 충격 흡수와 에너지 회복 간의 적절한 균형을 위한 기능적 요건을 갖추어야 하며, 시스템의 안정성에 기여 할 수 있도록 구조화 되어야 한다.

경기장 인조잔디의 시공은 건설 목적 및 용도를 파악하여 현장을 확인하고, 시방(示方) 기준에 부합하는 자재를 선택하는 것으로부터 시작된다.

다음으로 경기장 인조잔디의 설치를 위하여 경기장 시공 현장 표면의 배수 및 평탄화를 위한 토목공사가 실시된다.

토목공사가 완료되면 경기장 현장상태와 시공 목적에 따라 인조잔디 매트의 재단과 이음 및 접합 등의 작업이 이루어진다,

인조잔디 도포가 완료되면 기술적 처리를 마친 후, 규사 및 충전재의 포설작업이 이루어지며, 마지막 과정으로 브러싱(brushing)을 통해 그라운드 바닥을 보정하여 시공을 완료한다. 시공 이후의 유지관리 계획도 시공단계에서 마련되어야 한다.

경기장 인조잔디(Artificial turf) 시공 과정 일반

우리나라에서는 국내 인조잔디의 명확한 품질 기준을 제시하고 소비자를 보호하기 위하여 한국산업표준 'KS F 3888-1(인조잔디 시스템)'을 제정하여 그 표준에 따르도록 하고 있다. 따라서 국내 경기장 인조잔디 시공은 'KS F 3888-1(인조잔디 시스템)'에서 규정하는 기준에 만족하는 제품을 사용하여야 한다.

또한 인조잔디의 시공 현장에는 시공 과정 전반에 대한 권한과 책임을 갖는 감독관 및 현장 대리인이 상주하여야 한다.

감독관은 시공 발주처가 임명한 현장 감독관을 의미하며, 시공자의 현장 대리인에 대한 지시, 승인 및 검사 등이 모두 감독원의 권한과 책임으로 부여되어 시공현장 전반을 관리할 수 있도록 한다.

"인조잔디의 시공 현장에는
시공 과정 전반에 대한 권한과 책임을 갖는
감독관 및 현장 대리인이 상주하여야 한다."

현장 대리인은 시공사가 지정하는 책임 시공기술자로써 현장의 공사 관리 및 기술관리, 기타 시공 업무를 담당하는 현장원을 의미한다. 현장 대리인은 시공 계획서 및 설계도면 등에 따라 시공을 충실히 수행하여야 하며, 감독원의 검사와 승인을 받아 지시에 따라 시공해야 한다.

시공 중 시공 계획에 의한 도면이나 시방서의 내용과 부합하는 사항이 발생 될 경우, 현장 대리인은 감독원의 지시에 따라야 하며, 부득이하게 계획하지 않은 구조상 또는 외관상 시공을 요하는 부분이 있을 경우에도 감독원의 승인을 받아 지시에 따라 시공하여야 한다.

시공 전, 공정표 및 공사용 기계·기구의 시공 설비, 재료 적치장, 작업장 등의 사용에 대해서도 시공 계획서를 작성하여 감독원의 승인을 받아 실시한다.

원칙적으로 인조잔디의 시공은 토목 또는 조경 등 인조잔디 시공과 관련된 기술자격을 취득한 전문기술자 또는 시공업체만 할 수 있다.

경기장 인조잔디 시공업체의 적정성은 다음과 같은 구비 요건 및 서류 등의 확인을 통해 판단할 수 있다.

경기장 인조잔디 시공 현장에 대한 관리도 시공 과정에서 중요하게 관리되어야 한다. 주로 현장 기술자들의 출입 관리 및 풍기, 위생 단속 등이 이에 해당되며, 현

표 2-1 | 경기장 인조잔디 시공업체 적정성 확인

시공업체 구비 요건 및 서류 확인 항목 (예)
· KS인증, 환경표지인증, Q마크, 특허실용신안 등을 획득한 인조잔디 사용 여부 · 인조잔디의 원산지 증명 확인 · 'KS F 3881' 및 시방기준 적합 시험성적서 · 인조잔디 유해성 검사 시험성적서 · 인조잔디 유지 관리 계획서 · 인조잔디 시공 관련 자격보유자 및 시공장비 확인 · 인조잔디 제품 샘플(sample)

장의 화재나 위험물 관리도 철저하게 이루어져야 한다. 또한 현장의 시공 자재 및 시공 설비 등의 정리는 물론 현장 주변의 환경도 청결하게 유지될 수 있도록 관리하여야 한다.

시공사는 시공 전 안전관리에 대한 계획을 면밀하게 수립하여 안전사고를 예방할 수 있도록 만전을 기해야 한다. 또한 시공 중에 발생하는 폐자재나 철거물 등은 즉시 현장에서 반출하고 폐기물관리법에 의거 적법하게 처리하여야 한다.

시공 완료 시에는 현장 및 주변을 정돈하고, 시공 중 발생된 피해 시설물에 대해서는 즉시 원상 복구하여야 한다.

경기장 인조잔디 시공 과정은 [그림 2-2]에 나타난 바와 같이 '현장 점검 및 자재 준비' 등 시공을 위한 기본 작업을 완료한 후, 본격적인 인조잔디 설치 작업을 실시한다. 인조잔디 설치를 위한 시공은 '인조잔디 재단 및 펼치기(포설)', '인조잔디 접착 및 이음', '규사 및 충전재 포설' 등의 과정을 진행하며 마지막 단계로 '브러시(brush)' 등의 과정을 거쳐 인조잔디 경기장 바닥(ground)을 '완성' 하게 된다.

그림 2-2 | 인조잔디 시공 과정

경기장용 인조잔디의 일반적 시공 과정 및 각 시공 과정별 구체적 작업 내용은 다음과 같다.

시공현장 확인

경기장 인조잔디의 시공은 종목의 특성 및 건설 목적 등을 고려하여 현장이 건설에 타당한가에 대한 확인에서부터 시작된다.

인조잔디가 시공될 현장의 정확한 면적을 측정하고, 노면 부위의 요철 현상과 기반 상태를 점검한다. 즉 바닥의 상태가 인조잔디를 포설하기에 적합한지 확인하며, 현장 주변의 구조물 및 시공 시 장애가 될 소지가 있는 사항 등을 파악하여 문제점을 제거한다.

바닥에 굴곡이 있는 경우에는 평탄화 작업을 통해 시공에 적합하도록 일정한 구배[17]를 확보하여야 하며 시공 장소 바닥의 건조 상태를 확인하고 원활한 배수력을

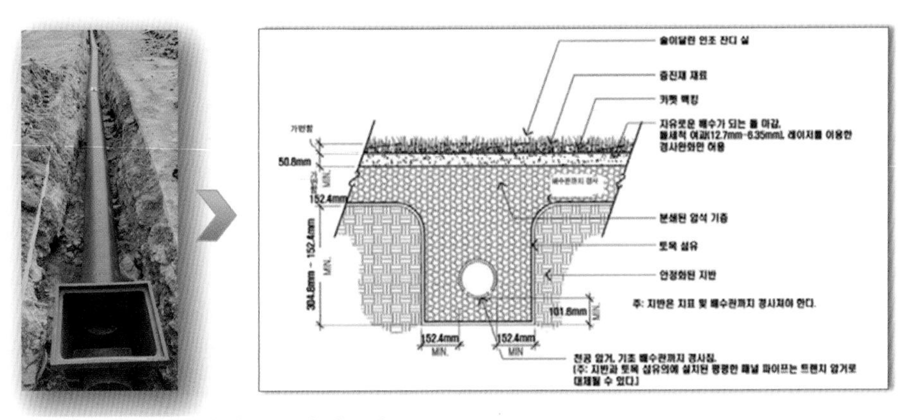

그림 2-3 | 인조잔디 배수시스템 시공 예
출처 : 케어필드(2022)

17) 구배(勾配) : 수평을 기준으로 한 경사로.

그림 2-4 | 기반 측정 및 평탄화 작업

확보하기 위한 기초 배수시설 작업도 필요에 따라 실시하여야 한다.

포설 전, 시공 바닥의 흙이나 먼지, 수분 등을 완전히 제거하여 건조시키고 표면 바닥에 이물질이 없는지 확인한다. 청소가 완료되면, 장비나 공구 등을 정리하고 시공 기간 동안 현장의 청결을 유지하도록 한다.

시공 현장의 확인은 인조잔디 시공 및 경기장의 품질 보장에 있어서 가장 중요한 기본 요소가 되므로 시공책임자는 인조잔디를 설치하기 전에 철저히 현장의 바닥 및 지반 상태를 확인한 후 인조잔디 설치 작업을 시작하여야 한다.

자재입고 및 검수

인조잔디 시공에 앞서, 시공 계획에 따라 지정된 자재가 알맞게 입고되었는지를 확인하기 위하여 입고된 인조잔디 및 각 구성품에 대한 자재 검수를 현장에서 실시하여야 한다.

시공업체는 인조잔디 자재 발주업체로부터 품질 규격서, 'KS F 3888-1(인조잔디 시스템)'의 규격 기준에 대한 공인기관의 시험성적서 및 보고서, 환경표지 인증(EL257. 인조잔디 및 인조잔디 구성품) 등 각 자재의 품질과 관련된 서류의 일체를 제출

그림 2-5 | 자재 입고, 검수, 배치
출처 : sbuild.co.kr

받아야 하며, 인조잔디 및 구성품 등 자재 입고 시 이러한 규격 및 기준 등이 발주서의 내용과 일치하는지 확인해야 한다. 또한 현장에서 입고된 자재의 수량 확인 및 불량 여부도 검수하여야 한다.

인조잔디 시공을 위한 재료로써 인조잔디용 접착제, 접착제 받이, 접착제 롤러(roller), 조인트 테이프(joint tape; 이음 테이프), 누름 추(weight), 인조잔디 재단용 칼(cutting knife), 먹줄 등도 충분히 준비되었는지 확인하여야 한다.

검수가 완료된 자재는 작업 동선 및 공간 효율성을 고려하여 알맞은 장소를 지정하고 배치하도록 한다.

자재의 입고 및 검수, 설치 시에는 반드시 발주기관의 감독관 승인을 받아 합격한 것을 사용하도록 한다.

인조잔디 시공

인조잔디 시공은 '인조잔디 펼치기(포설) 및 재단', '인조잔디 접착 및 이음', '규사 및 충전재 포설' 등의 세부 과정에 따라 진행된다. 각 세부 과정의 구체적 내용은 다음과 같다.

인공잔디 펼치기(포설) 및 재단

인조잔디를 시공하기 위하여 먼저 장비를 사용하여 시공 계획에 따라 인조잔디를 포설할 위치에 배열한다. 일반적으로 인조잔디의 포설은 경기장 중심선을 선정한 후 중심선을 기점으로 좌우 대칭으로 펼치거나 현장 여건에 따라서는 한쪽 면에서 펼칠 수도 있다.

배열된 인공잔디를 펼치기에 앞서 바닥에 시작선을 표시함으로써 설치 과정에서 어긋남이 없이 일정하게 설치되도록 하여야 하며, 인조잔디의 결을 정확히 확인하여 동일한 결 방향으로 시공하도록 한다.

또한 인공잔디를 펼치고 설치할 때에는 잔디의 손상을 방지하기 위하여 기계장치나 중장비를 사용하지 않고 반드시 작업자가 직접 인력으로 설치하는 것을 원칙으로 한다.

인조잔디를 이동시킬 경우에는 한 방향으로 심하게 당기지 말아야 한다. 인조잔디를 당기면서 이동하게 되면 인조잔디의 길이가 변형되거나 시공 후 바닥 표면의 요철 현상이 발생될 우려가 있으므로 주의하여야 한다.

인공잔디 펼치기가 완료되면 현장 바닥에 맞도록 이음매(joint) 부분을 재단하여 접착 준비를 한다.

그림 2-6 | 인조잔디 재단 및 펼치기(포설)
출처 : sbuild.co.kr

인공잔디 접착 및 이음

인조잔디와 하부 기층 사이는 일반적으로 무접착으로 포설하며, 인조잔디 간의 이음은 조인트 테이프(joint tape; 이음 테이프)와 인조잔디용 접착제를 사용하여 연결한다.

인조잔디를 접착하기 위하여 먼저 시공할 바닥을 중심으로 하나의 선(line)을 표시하고, 표시된 중심선(center line)과 인조잔디의 중심선을 일치시켜 펼쳐 놓는다.

펼쳐진 인조잔디의 양측 이음새(joint) 부위를 약 50cm 정도 걷어 올리고 25~30cm 폭의 망(mesh) 형태의 조인트 테이프(joint tape; 이음 테이프)를 두 잔디의 중앙에 위치하도록 하여 바닥면에 직선으로 펼친다.

그림 2-7 | 인조잔디 접착 및 이음

펼쳐진 망(mesh) 형태의 조인트 테이프(joint tape; 이음 테이프) 위에 인조잔디용 접착제를 고르게 도포한다. 접착제 도포 작업 시, 접착제를 바르는 면을 깨끗이 하고 수분을 제거한 후 헤라(へら) 주걱[18]을 이용하여 골고루 펴 바른다.

접착제 도포 후, 약 10분 정도 경과 후 걷어 올렸던 양측 인조잔디 이음새 부분을 접착제를 바른 바닥에 펼쳐 붙인 뒤 무게가 있는 롤러(roller) 등을 이용하여 인조

18) 헤라(へら) 주걱 : 모양이나 생김새가 뒤집개와 유사한 도구로 접착제를 펴 바르는데 사용

그림 2-8 | 인조잔디 포설 및 접착
출처 : sbuild.co.kr

잔디와 기반이 완전히 접착될 수 있게 눌러 준다.

접착제를 도포할 때에는 사전에 화기나 발화성 물질 등이 주변에 있는지 확인하고 작업을 실시하여야 한다.

인조잔디의 접착 및 이음 시공은 기온이 0℃ 이하이거나 50℃ 이상의 기온 또는 우천 등 악천후 날씨에서는 접착 품질에 문제가 생길 수 있으므로 작업을 실시하지 않아야 한다. 또한 인조잔디 접착 시 조인트 테이프(joint tape ; 이음 테이프)의 표면이나 기반, 인조잔디 등에 수분이 없도록 해야 하며 접착 부분에 오물이 끼어들지 않도록 주의하여야 한다.

인조잔디 경기장 바닥에 라인(line)을 삽입할 경우는 바닥에 시공된 인조잔디와 동일한 재질과 제조 방법으로 제작된 인조잔디 라인(line)을 사용하여야 한다. 또한

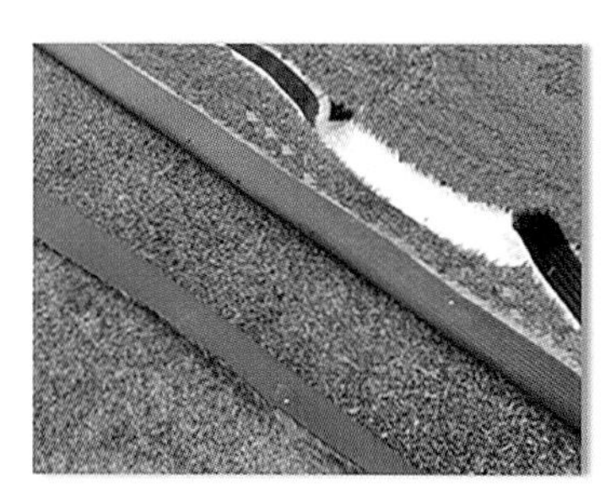

그림 2-9 | 인조잔디 라인(line) 삽입
출처 : sbuild.co.kr

라인(line)과 접착 부위의 잔디 파일(pile)의 길이는 5mm 이상의 차이가 생기지 않도록 시공하여야 한다.

일반적으로 테니스장의 라인(line)의 폭은 5cm, 풋살장 라인(line)의 폭은 8cm, 축구장 라인(line)의 폭은 10cm의 백색 라인으로 삽입한다.

라인(line)과 인조잔디의 접합은 특성상 이음새 부위가 벌어질 우려가 있으므로 조인트 테이프(joint tape ; 이음 테이프)와 인조잔디 사이의 접착 작업 시 각별한 주의가 필요하다.

규사 및 충전재 포설 작업, 브러시(brush), 인조잔디 설치 완료

인조잔디의 접착 및 이음 작업이 완료되면, 인조잔디 바닥에 규사를 살포한다. 규사 포설은 선수들의 부상 방지 및 인조잔디 하부의 기포지를 보호하는 역할을 하게 되므로 연마도가 우수한 제품을 사용하여야 한다.

규사는 한번 살포하면 이동이 어려우므로 전문 장비를 활용하여 균등하게 포설하도록 한다.

규사를 포설할 때에는 운동장 전체의 평탄성 및 시스템 안정화를 위하여 인조잔디 파일(pile) 사이의 규사 충진량을 일정한 양으로 균일하게 살포하여야 한다. 일반적으로 인조잔디 파일(pile) 사이로 충전되는 규사는 사용하는 용도 또는 파일(pile)의

그림 2-10 | 규사 및 충전재 포설, 브러싱(brushing)
출처 : sbuild.co.kr

높이에 따라 완충 및 80%±5% 정도의 높이로 포설한다.

규사의 균등한 살포를 위해서는 전용 장비를 이용하여 포설하여야 하며, 브러시(brushes) 작업과 병행하여 작업을 실시한다. 브러시(brush)는 인조잔디 파일(pile)의 입모성(立毛性)을 향상시킬 수 있으며 표면 균일성 유지에도 도움이 된다.

규사 배토(培土) 작업은 배토기를 사용하여 용도에 맞도록 약 7~10㎜ 정도의 두께에서 포설 하며, 포설 후에는 면 고르기 작업으로 마무리 한다. 면 고르기 작업은 수차례에 걸쳐 실시한다.

규사의 균일한 포설이 확인되면, 고무칩(chip) 등의 충전재 살포작업을 실시한다. 충전재의 포설도 규사 포설과 마찬가지로 균일한 살포가 이루어지지 않을 경우 인조잔디 파일(pile)의 직립성을 저하시킬 수 있으며, 이로 인해 인조잔디의 내구성 및 기능에 부정적인 영향을 미치게 되므로 일정하게 살포될 수 있도록 유의하여 작업하여야 한다.

균일한 충전재 살포를 위하여 악천후나 우천 시에는 충진 작업을 실시하지 않는 것이 바람직하다. 충전재 살포는 반드시 작업환경이 완전히 건조된 뒤에 실시하여야 하며, 충전재 또한 습기 등에 노출되지 않도록 관리하여야 한다.

경기장 인조잔디(Artificial turf) 유지·관리

경기장 인조잔디(Artificial turf) 유지·관리의 필요성

인조잔디 운동장은 시공 후, 적절한 유지·관리를 통하여 운동장 표면의 품질 및 성능을 유지할 수 있으며 인조잔디의 수명도 연장할 수 있다.

인조잔디는 일반적으로 8년 정도의 수명주기를 갖지만 사용빈도 및 관리 상태에 따라 최대 16년 간 사용이 가능하다(서울특별시 교육청, 2012). 따라서 인조잔디 내구연한이 끝날 때까지 지속적인 관리를 통해 인조잔디 운동장 표면의 성능을 유지 시킴으로써 비용을 절감하며 사용자의 안전과 경기력을 확보할 수 있다.

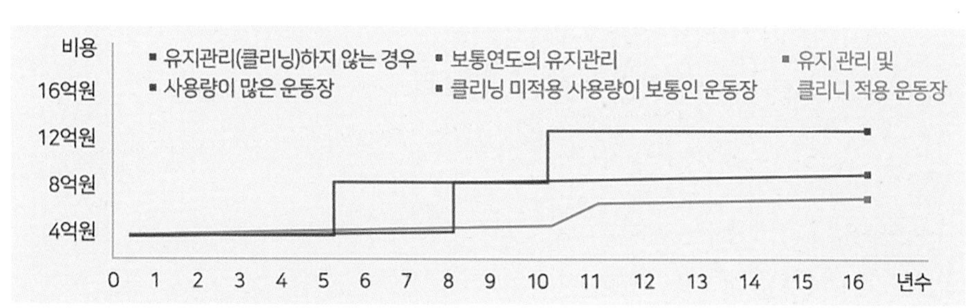

그림 2-11 | 인조잔디 유지관리 비용 분석

출처 : 서울시 교육청 '학교운동장 조성 및 유지관리 편람'

"인조잔디는 일반적으로
8년 정도의 수명주기를 갖지만 사용빈도 및 관리 상태에 따라
최대 16년 간 사용이 가능하다.
따라서 인조잔디 내구연한이 끝날 때까지
지속적인 관리를 통해 인조잔디 운동장 표면의 성능을 유지시킴으로써
비용을 절감하며 사용자의 안전과 경기력을 확보할 수 있다."

일반적으로 인조잔디 구장 시공 후, 시공업체는 사후 유지관리 계약에 따라 정해진 기간(대부분 3년) 동안 정기적인 브러시(brush) 작업 등 가장 기본적인 유지·관리를 시행한다. 따라서 인조잔디 구장은 시공 후 대부분 3년까지 양호한 상태가 유지될 수 있다. 그러나 시공업체의 유지·관리 계약이 종료된 후부터는 인조잔디구장 운영주체의 인조잔디 관리에 대한 지식이나 관심 부족으로 인조잔디의 노후화가 급격히 진행되어 적정 수명을 채우지 못하는 실정이다.

∝ **표 2-2 | 인조잔디 시공 후 유지관리 계약 내용 예**

구분	내용	점검일정			
		총횟수	1년	2년	3년
정기 Check	구장 현황 및 문제요인 사전 점검	6회 (무상)	2회	2회	2회
브러시	파일을 세우고 표면 균일성 부여	3회 (무상)	1회	1회	1회
재충진	탄력성 부여 및 내구성 증대	3회 (무상)	1회	1회	1회
훼손 부위 보수	Joint 등 훼손 부위 보수 및 교체	수시 (무상)	수시	수시	수시

출처 : ㈜케어필드 인조잔디구장 관리 기초 및 사례를 통한 효율적 유지관리 방안(2022)

인조잔디 그라운드(ground)의 노후화 현상은 주로 인조잔디 파일(pile)의 직립성 저하, 충전재 탄성 저하 및 유실 등으로 인한 인조잔디의 경화(硬化) 및 미끄럼 현상, 인조잔디 파일(pile)의 감색(減色) 등이 대표적이다.

"인조잔디 그라운드(ground)의 노후화 현상은
주로 인조잔디 파일(pile)의 직립성 저하,
충전재 탄성 저하 및 유실 등으로 인한
인조잔디의 경화(硬化) 및 미끄럼 현상,
인조잔디 파일(pile)의 감색(減色) 등이 대표적이다."

특히 충전재의 파손 및 유실은 잔디 파일(pile)을 지탱하는 응축력을 약화시킬 수 있으며 이로 인해 파일(pile) 및 인조잔디 시스템 구조의 변형을 초래한다.

인조잔디 시스템 구조의 변형은 바닥 표면의 충격흡수능력 및 평탄성 등 선수 안전 및 경기력과 관련된 주요 기능을 악화시킴으로써 사용자의 위험을 초래할 수 있다. 또한 경기장 내 배수성이 약화되어 우천 시 경기력에 부정적 영향을 미치며 인조잔디의 수명을 급속히 단축시키게 된다.

"인조잔디 시스템 구조의 변형은
바닥 표면의 충격흡수능력 및 평탄성 등 선수 안전 및
경기력과 관련된 주요 기능을 악화시킴으로써
사용자의 위험을 초래할 수 있다.
또한 경기장 내 배수성이 약화되어 우천 시
경기력에 부정적 영향을 미치며
인조잔디의 수명을 급속히 단축시키게 된다."

일반적으로 10년 이상의 사용수명을 갖는 인조잔디는 관리 부실 및 관심 부족으로 인해 노후화가 급격히 진행되어 이용자의 안전을 위협하며 운영 효율성을 떨어뜨리게 된다. 결국 훼손된 인조잔디를 철거하고 재설치하는 악순환이 거듭되면서 막대한 비용이 소요되고 예산을 낭비하는 현상이 이어지는 실정이다.

인조잔디 구장은 천연잔디 구장에 비하여 상대적으로 낮은 설치비용과 용이한 유지·관리의 장점을 갖지만 인조잔디의 효율적 활용과 비용 우위의 지속을 위해서는 지속적이고 전문적인 관리를 필요로 한다.

경기장 인조잔디(Artificial turf) 유지·관리를 위한 점검사항 및 효과

인조잔디 시스템은 시공 후 6개월~1년 정도의 안정화 기간이 필요하다. 시공 후 인조잔디 시스템의 안정화 기간 동안에는 집중적인 브러시(brush) 작업을 통해

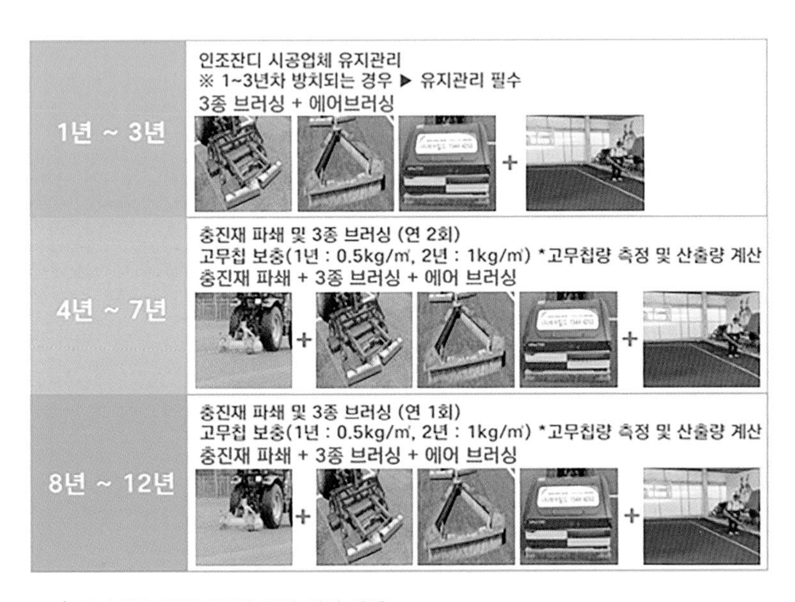

그림 2-12 | 주기 별 인조잔디구장 유지·관리 사례
출처 : ㈜케어필드 인조잔디구장 관리 기초 및 사례를 통한 효율적 유지관리 방안(2022)

충전재가 균일하게 자리를 잡을 수 있도록 하여야 하며, 잔디표면의 결을 고르게 유지시켜 줌으로써 인조잔디 구장의 성능을 유지하고 수명을 연장할 수 있는 기초가 되도록 한다.

인조잔디 구장의 유지·관리는 시공 후 사용기간 및 인조잔디 상태에 따라 알맞은 작업이 실시되어야 한다. 일반적으로 인조잔디 시공 후 1~3년차에는 적절한 브러시(brush) 작업과 2년에 1번씩 1kg/㎡ 정도의 충전재를 보충하는 것만으로도 지속적으로 품질을 유지할 수 있다.

인조잔디 시공 후 4~7년 차에는 사용 빈도 증가로 인해 답압(踏壓)[19]이 진행되므로 변형된 충전재의 파쇄 및 충전재 교체를 통해 인조잔디의 기능을 회복시켜주어야 한다.

인조잔디 시공 후 8~12년 차부터는 인조잔디 유지·관리 작업의 빈도를 늘려주어야 한다. 인조잔디의 노후화 상태에 따라 다르지만 일반적으로 충전재 파쇄 및 교체 작업을 6개월에 한 번씩 1년에 총 2회 정도 실시함으로써 인조잔디의 내구성 및 기능을 회복하고 유지시킬 수 있다.

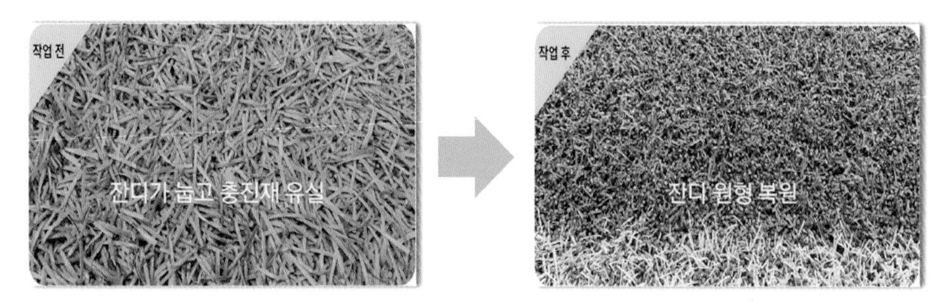

그림 2-13 | 인조잔디 유지·관리를 통한 개선 효과
출처 : carefield.co.kr

19) 차량, 장비 또는 인간의 지속적인 발디딤 등 기계적인 압력을 가하여 눌러 단단하게 함

인조잔디 구장의 유지·관리에 있어 가장 중요한 것은 관리자가 항상 관심을 갖고 인조잔디 구장의 상태를 점검하고 하자(瑕疵)를 확인하는 것이다. 인조잔디 구장의 주요 점검 및 조치 사항은 다음과 같다.

» 인조잔디 구장 관리자는 인조잔디 시스템에 투입된 충전재가 충분한지 확인하고 충전재의 양이 부족하거나 답압(踏壓)이 덜 되어 잔디 파일(pile) 사이로 공간이 생겼을 경우 이를 보충하여야 한다.

» 또한 답압(踏壓)의 진행으로 충전재 보충이 인조잔디 시스템의 성능 향상에 기여하지 못할 경우에는 충전재의 제거나 교체를 통해 인조잔디의 성능을 회복시켜 주어야 한다.

» 인조잔디 파일(pile)의 마모 정도를 자주 확인하여야 하며, 특히 사용 빈도가 높은 지점(예. 패널티 박스, 센터 서클 주위 등)을 중점적으로 점검한다.

» 인조잔디 파일(pile)의 마모가 발견된 경우에는 마모 부위를 부분 보수하여야 하며, 가능하면 시공된 인조잔디 파일(pile)과 동일한 제품으로 보수하여야 한다.

» 인조잔디의 이음새가 벌어져 있거나 답압(踏壓)의 진행으로 인조잔디 표면이 단단하게 눌러져 있다면 빠른 시간 내에 보수함으로써 인조잔디 상태가 더 이상 악화되지 않도록 조치하여야 한다.

» 인조잔디 구장 내 오염물질이 있는지 확인하여 제거하며 청결이 유지되도록 하여야 한다.

» 인조잔디 관리는 전문적 장비와 인력을 필요로 하므로 시공업체와의 유지·보수 계약기간을 확인하여 지속적인 상담과 자문을 받을 수 있도록 해야 한다.

인조잔디 구장의 정기적이고 전문적인 유지·관리 정책은 인조잔디 구장의 품질을 유지하고 수명을 연장함으로써 사용자의 만족과 안전을 확보할 수 있으며, 운영의 효율성 및 관리비용의 절감을 기대할 수 있다.

경기장 인조잔디(Artificial turf) 유지·관리 방법

인조잔디 구장의 효율적 유지·관리를 위한 가장 기본적인 방법은 인조잔디 파일(pile)의 입모(立毛) 및 경기성 회복을 위한 '브러시(brush)', 인조잔디 표면의 탄력성 부여 및 내구성 증대를 위한 '충전재 보충', '잔디 이음새 등 파손 부분 보수', 현장 문제점 파악을 위한 '현장 점검' 등으로 구분할 수 있으며, 인조잔디 구장의 불량한 충전재 제거 및 교체, 재사용 등을 위한 '피치클리닝(pitch cleaning)'도 포함된다.

"인조잔디 구장의 효율적 유지·관리를 위한 가장 기본적인 방법은
인조잔디 파일(pile)의 입모(立毛) 및 경기성 회복을 위한 '브러시(brush)',
인조잔디 표면의 탄력성 부여 및 내구성 증대를 위한 '충전재 보충',
'잔디 이음새 등 파손 부분 보수',
현장 문제점 파악을 위한 '현장 점검' 등으로 구분할 수 있으며,
인조잔디 구장의 불량한 충전재 제거 및 교체, 재사용 등을 위한
'피치클리닝(pitch cleaning)'도 포함된다."

브러시(brush) 작업의 의미 및 방법

인조잔디 표면의 경기성 회복 및 인조잔디 파일(pile)의 입모(立毛), 표면 균일성 유지 등을 위한 목적으로 다양한 방법의 브러시(brush) 작업이 이루어진다.

브러시(brush) 작업은 인조잔디 구장의 잔디파일(pile) 원형 복원 및 그라운드(ground) 표면의 이물질 제거, 배수능력 개선 등의 효과를 기대할 수 있으며 브러싱(brushing) 과정에서 인조잔디 구장의 전체적인 상태를 점검하는 작업도 병행할 수 있다.

브러시(brush) 작업은 일반적으로 '드래그 브러시(drag brushes)', '회전 브러시(rotary brush)', '콘트라 브러시(contra brush)' 등으로 구분할 수 있는데 각 브러시(brush) 작업은 병행되어 함께 실시되기도 한다.

인조잔디 구장의 브러시(brush) 작업을 통해 인조잔디 시스템의 기능적 개선은 물론 인조잔디 그라운드(ground)에 있는 수많은 이물질을 수거하게 된다. 끊어져 바람에 날리는 인조잔디 파일(pile) 찌꺼기와 충전재 고무 부스러기, 못이나 핀과 같은 작은 쇠붙이 등 운동장 사용자의 건강과 안전에 위협이 되는 이물질을 브러싱(brushing)을 통해 제거함으로써 쾌적한 인조잔디 구장의 환경을 조성하는데 기여할 수 있다.

브러시(brush) 작업은 일반적으로 트랙터(tractor)나 소형 자동차, 특수 장비 등에 부착하여 사용하므로 작업 시, 브러시(brush)가 인조잔디 표면에 완전히 접촉하여 브러싱(brushing)을 위한 충분한 압력이 가해지는지 확인하여야 한다. 또한 브러시(brush) 작업 중 솔 사이에 충전재 고무칩(chip) 등이 타고 올라와 원활한 브러싱(brushing)을 방해하지 않는지 확인하는 것도 중요하다.

브러시(brush) 작업은 원칙적으로 인조잔디 파일(pile)이 누운 방향을 확인한 후

그림 2-14 | 브러시 작업을 통해 수거된 잔디파일 및 이물질
출처 : carefield.co.kr

누운 방향과 반대 방향으로 작업을 실시한다. 그러나 실제 인조잔디 파일(pile)의 누운 방향은 여러 방향으로 누워 있게 되므로 현실적으로 브러시(brush) 작업은 각 방향에서 모두 실시하여야만 효과를 높일 수 있다.

브러시(brush) 작업을 통해 인조잔디 파일이 서로 뭉쳐있는 것을 풀어주며 인조잔디 표층의 충전재를 평탄하게 정리하게 되므로 브러시(brush) 작업 시 브러싱(brushing) 작업 속도를 일정하게 유지해야 한다. 또한 충전재가 인조잔디 그라운드(ground) 밖으로 유출되지 않도록 그라운드(ground) 경계부의 작업 시 세심한 주의를 기울여서 진행해야 한다.

브러시(brush) 작업의 효과를 극대화하고 작업의 안전을 확보하기 위해서 작업 시, 트랙터의 속도는 5km/h를 초과하지 않도록 하며, 무리한 급회전도 하지 않도록 한다.

드래그 브러시(drag brushes)

드래그 브러시(drag brush)는 가장 일반적으로 손쉽게 활용되는 브러시(brush) 방법이다.

보통 솔을 트랙터(tractor)나 1톤 미만의 소형 자동차 후면에 유압식 또는 단순 부착식 견인장치로 장착하여 사용한다. 드래그 브러시(drag brush)는 특히 인조잔디

그림 2-15 | 브러시를 위해 트랙터에 부착된 삼각형 브러시 및 드래그 브러시 작업
출처 : FIFA Quality Programme for Football Turf(2021), carefield.co.kr

파일(pile)의 직립성 회복 및 인조잔디 표면을 일정하게 메워주는데 효과가 있으며, 답압(踏壓)을 지연시키는데 효과적이다. 인조잔디 구장을 30~44시간 정도 사용한 후에는 드래그 브러시(drag brush)를 4~5시간 1회 실시해 주는 것이 좋다.

회전 브러시(rotary brush)

회전 브러시(rotary brush)는 드래그 브러시(drag brush)와 달리 브러시(brush)가 정방향 또는 역방향으로 회전하면서 브러싱(brushing)하는 방법이다. 따라서 잔디 파일(pile) 및 표면의 이물질을 제거하는 데 회전 브러시(rotary brush) 작업은 특히 효과적이며, 뉘어진 잔디표면을 세워주는 것도 드래그 브러시(drag brush) 보다 상대적으로 뛰어나다.

따라서 회전 브러시(rotary brush) 작업 시에는 수시로 작업 중 이물질을 제거해 주어야 하며, 충전재가 유실되지 않도록 특별히 세심한 주의를 기울여야 한다.

회전 브러시(rotary brush)는 5~6개월에 한번 씩 작업을 실시하는 것이 좋으며 인조잔디 상태에 따라 1년에 1회 실시할 수 있다.

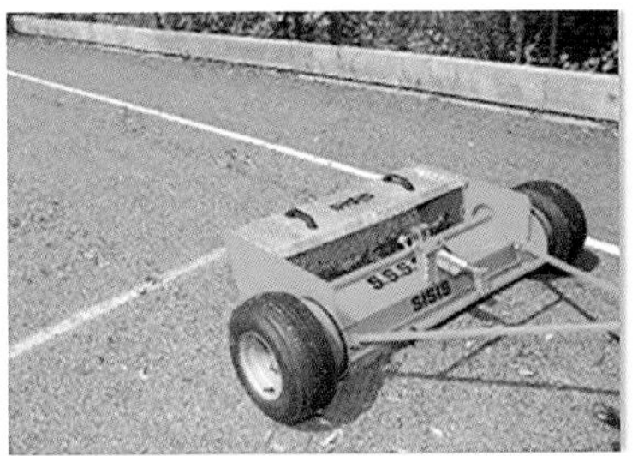

그림 2-16 | 회전브러시 장비 및 브러싱 작업
출처 : carefield.co.kr

콘트라 브러시(contra brush)

콘트라 브러시(contra brush)는 인조잔디 표층 약 20㎜ 정도 아래의 속 잔디가 뭉쳐있는 것을 풀어주는 기능을 하며, 인조잔디 안쪽의 충전재 칩(chip)들을 브러시(brush)하여 배수 성능을 유지시켜 주고 상층부의 답압(踏壓) 속도를 늦추게 하는 효과도 뛰어나다.

콘트라 브러시(contra brush)는 브러시(brush)의 솔 방향이 역방향으로 진행됨으로써 충전재의 하부층 답압(踏壓)을 해소시켜주는 역할을 하므로 드래그 브러시(drag brush)의 작업 속도와 비교하여 상대적으로 천천히 작업을 실시해야 한다.

콘트라 브러시(contra brush)는 1~2년에 한 번씩 실시해 주는 것이 좋으며 인조잔디의 사용 상태에 따라 6개월에 1회 실시할 수도 있다.

그림 2-17 | 콘트라브러시 장비 및 브러싱 작업
출처 : carefield.co.kr

그림 2-18 | 브러시 작업 전 불량 충전재 파쇄
출처 : carefield.co.kr

회전 브러시(rotary brush)와 콘트라 브러시(contra brush) 작업 후에는 최종적으로 드래그 브러시(drag brush)를 실시하여 마무리함으로써 인조잔디 브러시(brush) 작업의 효과를 높일 수 있다.

브러시(brush) 작업 시, 충전재가 굳어져 서로 엉겨 붙어 있거나 콘크리트와 같이 인조잔디 파일과 함께 굳어 있을 경우에는 브러시(brush) 작업 전에 파쇄 및 수거 등의 선행 작업을 실시한 후 본 작업을 진행하여야 만 브러싱(brushing) 효과를 기대할 수 있다.

충전재의 보충

인조잔디 시스템에서는 인조잔디 파일(pile)의 직립 및 표면의 탄력성을 확보하고 내구성을 증대시키기 위하여 적절한 양의 충전재가 항상 채워져 있어야 하며, 충전재의 상태도 제 기능을 발휘할 수 있도록 일정의 품질을 유지하고 있어야 한다.

그러나 인조잔디 충전재는 자연환경에 노출됨에 따라 시공 후 3~4년이 경과하면 탄성이 저하되고 부서지는 현상이 발생하며, 마모되고 경화된 충전재는 서로 뭉치고 엉겨 붙어 본래의 기능을 다하지 못하게 된다. 또한 천재지변이나 관리 부실 등으로 충전재의 상당량이 유실되기도 한다.

따라서 인조잔디 구장에서 충전재의 유실로 충전재 양이 부족하거나 답압(踏壓), 탄성 저하 등 기능이 상실되었을 경우 충전재의 보충을 통해 기능을 회복하여야 한다. 충전재 보충 시, 새롭게 보충하고자 하는 충전재는 기존에 시공된 충전재와 동일한 재질과 형태, 색상의 충전재를 사용하는 것이 바람직하다.

새롭게 보충되는 새 충전재와 기존 충전재 간에는 탄성의 차이가 발생될 수밖에 없으며, 따라서 인조잔디 구장의 충전재 보충 시에는 다음의 두 가지 방법을 고려

그림 2-19 | 충전재 인상(引上) 및 충전재 보충 포설
출처 : carefield.co.kr

할 수 있다.

첫째, 기존 충전재를 보존하고 인조잔디 파일(pile) 상층 부분에 부족한 양만큼의 충전재를 보충하는 방법이다.

둘째, 기존 충전재를 인조잔디 파일(pile) 상층 부분으로 인상(引上)한 후 새로운 충전재를 인조잔디 표층에 포설하여 기존 충전재와 새롭게 보충하는 충전재가 인조잔디 파일(pile) 사이로 혼합되게 충진하는 방법이다.

첫 번째 방법의 경우 시공이 비교적 용이하다는 장점이 있다. 두 번째 방법의 경우 첫 번째 방법과 달리 기존 충전재의 답압(踏壓)으로 인한 기능 저하 문제를 해소할 수 있으며 인조잔디 바닥의 탄력성 회복효과가 뛰어나다는 장점이 있다. 그러나 첫 번째 방법에 비해 상대적으로 유지·보수비용이 많이 든다는 단점이 있다.

또한 두 번째 충전재 보충 방법은 기존의 답압(踏壓)된 충전재와 새로운 충전재가 혼합되어 충진되는 과정이 쉽지 않으며, 충진이 완료된 후에도 충전재의 일시적인 들뜸 현상으로 인해 약 15일 정도의 인조잔디 파일(pile) 안정화 기간이 필요하다. 따라서 인조잔디 구장의 이용자 불편을 최소화하기 위하여 충전재 보충을 2회로 나누어 보충하는 방법을 고려할 필요가 있다.

충전재의 제거 및 교체

인조잔디의 유지·관리를 위해 가장 중요하게 결정해야 할 사항은 인조잔디 파일(pile)의 상태와 더불어 충전재의 상태를 평가하고 탄성 등을 측정하여 충전재를 보충할 것인지 혹은 교체 할 것인지를 판단하는 것이다.

충전재의 노후화 진행으로 부서지거나 엉겨 붙어 굳는 현상이 발생될 경우, 지체 없이 기존 충전재를 제거하고 새로운 충전재로 교체하여야 한다.

심하게 훼손되고 변형된 충전재의 교체가 적시에 이루어지지 않을 경우, 인조잔디 파일(pile)의 직립성이 저하되고 복원력을 상실하여 인조잔디 시스템의 수명을 급격히 단축시키게 된다.

또한 답압(踏壓)이 심각하게 진행된 인조잔디 구장은 바닥이 딱딱해지며, 인조잔디 파일(pile)이 쏠리고 누어져 고무칩 등 충전재가 인조잔디 표층으로 드러나기 시작한다. 이러한 상태에서는 브러시(brush) 등의 작업을 통해서도 인조잔디 시스템 개선을 기대할 수 없으며 오히려 인조 잔디의 손상을 초래할 수 있다.

이러한 상태에서 기존 충전재의 제거 및 교체 없이 충전재의 보충만으로 문제를 해결하려고 할 경우, 노후된 충전재와 새로운 충전재가 엉겨 붙게 되어 새로 보충한 충전재까지 제거해야 하는 사태가 발생될 수 있으므로 문제가 발생된 충전재는 가급적 완벽하게 제거하는 것이 바람직하다.

충전재의 제거 및 교체는 인조잔디 구장의 답압(踏壓)을 해소하며 인조잔디 파일(pile)의 직립성을 회복시키고, 충전재를 보충함으로써 인조잔디 시스템 성능을 복원시킬 수 있는 중요한 인조잔디 구장 유지·관리 방법이다.

충전재의 제거 및 수거 작업 시, 인조잔디 시스템의 기초 하층부를 구성하는 규사의 유출을 방지하기 위하여 반드시 충전재 제거용 전용 장비를 활용하여야 한다.

인조잔디 충전재의 교체는 인조잔디 구장을 새것으로 조성하는 것과 같은 효과를 주지만, 인조잔디 재시공 비용의 약 1/4에서 1/5 수준까지 절감할 수 있다는 장점이 있다.

따라서 인조잔디 파일(pile)이 심각하게 훼손되지 않고 기능에 큰 문제점이 발생되지 않았다면 충전재의 교체만으로도 인조잔디 구장의 기능을 회복할 수 있다.

인조잔디 구장의 노후 충전재 교체를 위한 주요 과정은 '충전재 파쇄', '충전재 인상(引上)', '노후 충전재 수거', '충전재 수거 후 브러싱(brushing)', '인조잔디 충전재 포설',' 충전재 충진 브러싱(brushing)' 등의 순으로 작업이 이루어진다.

그림 2-20 | 충전재 제거 및 교체 작업 효과

충전재 파쇄 및 인상(引上)

인조잔디 충전재 교체 작업의 첫 번째 과정은 먼저 반죽과 같이 엉겨 붙은 기존 충전재를 일차적으로 풀어주는 파쇄작업이다. 충전재 파쇄 작업은 충전재 교체 작업을 보다 용이하게 하며 작업의 효율성을 제고시키기 위한 선행작업이다.

충전재 파쇄 작업은 파쇄 과정에서 인조잔디 파일(pile)을 손상시킬 우려가 있으므로 세심한 주의를 기울여서 가능한 천천히 작업을 진행하여야 한다.

인조잔디 충전재의 파쇄는 콤프레셔(air compressor)를 이용할 수 있다. 고압(8~12bar) 에어(air)를 인조잔디 최하부층까지 투입하여 딱딱해진 규사 및 충전재를

그림 2-21 | 전용장비를 이용한 충전재 파쇄 및 인상(引上)
출처 : carefield.co.kr

파쇄하며, 가루처럼 분쇄되고 반죽처럼 엉킨 충전재를 인조잔디 파일(pile) 표면위로 들어 올린다.

'학교운동장 조성 및 유지관리 편람(서울시 교육청, 2012)'에서는 8Kg/㎠ 수준의 고압 컴프레셔(compressor)를 이용하여 충전재를 파쇄하고 들어 올릴 것을 권장하고 있다. 그러나 현실적으로 분쇄된 충전재를 공기(air)의 압력만으로 인상(引上)하는 것은 매우 어려우며 시간도 많이 소요되어 작업의 효율성이 크게 떨어진다는 단점이 있다.

따라서 인조잔디 충전재의 파쇄 및 인상(引上)은 전용장비를 사용하여 작업을 진행하는 것이 효율적이며, 최근에는 대부분의 유지·관리 업체들이 전용 장비를 활용하여 인조잔디 충전재 파쇄 및 인상(引上) 작업을 진행하고 있다.

충전재 수거

인조잔디 충전재의 파쇄 및 인상(引上) 작업을 통해 들어 올려 진 충전재는 수거하여 폐기물로 처리한다. 폐충전재의 수거는 충전재 수거 전용 장비를 사용하여 수거 작업 시 폐충전재가 유출되지 않도록 하여야 하며, 전용 마대(麻袋)자루 담아 처리하는 것이 좋다.

폐충전재 수거 작업 시, 인조잔디 시스템의 하층부에 포설된 규사가 혼입되어 유실되지 않도록 주의하여야 한다. 불가피하게 유실된 규사의 양을 확인하여 새로운 인조잔디 충전재를 포설하기 전에 부족한 양만큼의 규사를 보충해주어야 한다.

수거된 폐충전재에는 일부 규사가 혼입되어 있으므로 폐기물 중량을 계근할 때에는 혼입된 규사만큼 증가된 중량을 고려하여 정확한 폐충전재의 중량을 계근하여야 한다.

충전재 수거 후에는 가능한 빠른 시일 내에 새로운 충전재를 포설함으로써 인조잔디 시스템을 보호하도록 한다.

그림 2-22 | 전용장비를 이용한 충전재 수거
출처 : carefield.co.kr

충전재 수거 후 브러시(brush)

인조잔디 폐충전재 수거 후에는 브러시(brush) 작업을 실시하여 인조잔디 파일(pile)을 세우고 잔디파일(pile) 방향을 고르게 함으로써 새로운 충전재의 포설을 용이하도록 하여야 한다.

폐충전재 수거 후 브러시(brush)는 '콘트라 브러시(contra brush)'와 '드래그 브러시(drag brush)'를 병행함으로써 인조잔디 표면의 이물질 등의 제거와 인조잔디 파일(pile)의 결을 정리한다.

인조잔디 충전재 포설 및 충전재 충진 브러시(brush)

인조잔디 폐충전재 수거 후 브러시(brush) 작업이 완료되면 새로운 충전재를 포설한다.

새로운 충전재 포설은 최소한 수거된 충전재에 상응하는 양만큼의 충전재를 보충함으로써 인조잔디 시스템의 기능을 유지하고 향상 시킬 수 있다.

충전재 포설 작업 시에는 전용장비를 사용하여 일정하게 살포될 수 있도록 유의하여 작업하여야 한다. 균일한 살포가 이루어지지 않을 경우 인조잔디 파일(pile)의 직립성을 저하시킬 수 있으며, 이로 인해 인조잔디의 내구성 및 기능에 부정적인 영향을 미칠 수 있다.

새로운 충전재 포설 후에는 충전재가 인조잔디 파일(pile) 내부에 균등하게 자

표 2-3 | 충전재 소요량

	잔디파일 길이	포설 용량(kg/㎡)	높이(㎜)	비 고
인조잔디 파일 충진재 규사	35㎜	5kg±1	10㎜±2	용도 및 설계 반영
	55㎜	10kg±2	20㎜±5	
	60㎜	11kg±2	22㎜±5	
	65㎜	12kg±2	25㎜±1	

출처 : ㈜케어필드 인조잔디구장 관리 기초 및 사례를 통한 효율적 유지관리 방안(2022)을 토대로 재구성

그림 2-23 | 전용장비를 이용한 충전재 포설 및 각 방향에서의 충진 브러싱

출처 : carefield.co.kr

리를 잡을 수 있도록 다시 브러시(brush) 작업을 실시한다. 브러싱(brushing)은 서로 다른 방향으로 수차례에 걸쳐 실시함으로써 충전재가 균일하게 안착할 수 있도록 한다.

인조잔디 접합 및 요철 보수

인조잔디 접합 보수

인조잔디 시스템은 오랜 기간 사용할 경우 인조잔디 파일(pile)의 마모는 물론 찢어짐, 접합 부위의 벌어짐 등 훼손 및 하자(瑕疵)가 발생될 수 있다. 이러한 하자(瑕疵)는 대부분 비교적 간단한 보수작업을 통해 개선될 수 있으므로 발생 즉시 조치를 취하여 훼손이 더 이상 진행되지 않도록 하여야 한다.

인조잔디 구장에서의 훼손 및 하자(瑕疵)는 사용 빈도가 높은 지역에 집중되며, 인조잔디 간(間) 접합 부분, 인조잔디에 삽입된 라인(line) 접합부분 등에서 주로 발생된다.

"인조잔디의 접합 보수는
훼손되거나 벌어진 인조잔디 부분을
인조잔디 전용 접착제를 사용하여 접합하고 충분한 시간이 경과한 후
해당 부분에 규사와 충전재를 포설하여
인조잔디가 훼손되기 이전의 상태로 복원할 수 있다."

그림 2-24 | 인조잔디 접합 보수
출처 : ㈜케어필드 인조잔디구장 관리 기초 및 사례를 통한 효율적 유지관리 방안(2022)

인조잔디의 접합 보수는 훼손되거나 벌어진 인조잔디 부분을 인조잔디 전용 접착제를 사용하여 접합하고 충분한 시간이 경과한 후 해당 부분에 규사와 충전재를 포설하여 인조잔디가 훼손되기 이전의 상태로 복원할 수 있다. 인조잔디 접합 보수 작업 시 유의 사항은 다음과 같다.

» 인조잔디 접합 보수 부분은 가능한 표시가 두드러지지 않도록 접합 부분을 자연스럽게 마무리 하여야 한다.
» 인조잔디 접합 보수를 위하여 불가피하게 추가로 잔디를 절단해야 할 필요가 있는 경우 절단 부분을 최소화하여 절단한다.
» 인조잔디 접합을 위한 바닥판(sheet) 및 접착제는 반드시 인증된 제품을 사용하여 재하자(瑕疵)의 발생을 방지하고 접합부의 강도를 유지시킬 수 있도록 한다.
» 인조잔디 접합 부분의 단차(段差)나 요철이 발생되지 않도록 바닥 정리를 철저히 한다.
» 인조잔디 접합 보수에 사용되는 잔디는 기존에 설치된 잔디와 같은 계열의 잔디를 사용하여 이질감이 없도록 하여야 한다.

인조잔디 그라운드(ground) 요철 보수

인조잔디 구장의 시공은 기본적으로 현장 바닥의 요철현상과 기반상태를 점검하고 바닥을 평탄화하는 것으로부터 시작한다. 또한 배수시설을 설치하여 운동장 내의 원활한 배수능력을 확보하고 인조잔디를 포설하기 위한 시공이 실시된다.

그러나 동절기의 결빙 및 춘절기 해빙, 하절기 강우 등 계절적 요인은 물론 운동장 토질, 배수력 저하 등의 원인으로 인조잔디 운동장 바닥은 부분적으로 침하가 발생하거나 요철이 형성될 수 있다.

인조잔디 운동장 바닥의 요철이나 구배(句配), 침하 등이 심각할 경우 재시공을 고려할 수 있으나 부분적인 요철이나 침하는 보수작업을 통해 원상복귀할 수 있다.

그림 2-25 | 인조잔디 요철 보수
출처 : ㈜케어필드 인조잔디구장 관리 기초 및 사례를 통한 효율적 유지관리 방안(2022)

"인조잔디 구장의 요철 및 구배(句配), 침하 부분의 보수는
먼저 해당 부분의 인조잔디를 절개한 후,
바닥의 평탄작업을 실시하고
다시 절개 부위를 접합하는 과정으로 진행된다."

인조잔디 구장의 요철 및 구배(句配), 침하 부분의 보수는 먼저 해당 부분의 인조잔디를 절개한 후, 바닥의 평탄작업을 실시하고 다시 절개 부위를 접합하는 과정으로 진행된다.

운동장 바닥의 요철 및 구배(句配) 부분에 대한 평탄화 작업은 운동장 다짐 장비를 활용하여 충분한 다짐 작업을 실시하여야 한다. 침하부분에 대한 보수는 해당 부분에 규사를 살포하고 다짐 작업을 반복함으로써 바닥이 평탄화되도록 한다.

바닥 평탄화를 위해 절개한 부분은 인조잔디 접합 보수 방법과 동일한 방법으로 절개 부분이 드러나지 않도록 세심한 주의를 기울여 작업하여야 한다.

침수된 인조잔디 구장의 유지 · 관리

인조잔디 구장 시공 시, 인조잔디 표면의 충분한 배수능력 확보를 위한 배수시스템이 포함되지 않거나 부실하게 시공될 경우 침수로 인한 심각한 피해가 발생될 수 있다.

특히 침수로 인해 인조잔디 구장으로 유입된 토사(土沙)는 인조잔디 파일(pile)에 흡착되어 인조잔디의 기능을 저하시키며, 충전재와 인조잔디 파일(pile) 사이에도 스며들어 인조잔디 시스템 전체에 악영향을 미치게 된다.

또한 충전재와 인조잔디 사이의 공간에 침투된 토사(土沙)는 진흙덩어리 형태로 고형화 되어 오염물의 제거 및 복구에 큰 어려움과 비용을 초래하게 된다.

따라서 인조잔디 구장의 침수피해를 방지하기 위해서는 시공단계에서부터 타당한 인조잔디 구장의 입지 선정 및 적절한 배수시스템의 설치, 침수 예방을 위한 사전 관리 등이 철저하게 실행되어야 한다.

인조잔디 구장이 침수되고 토사(土沙) 등이 유입되어 인조잔디 시스템이 오염되었을 경우에는 다음과 같은 유지·관리 작업 과정을 통해 인조잔디 구장의 기능을 회복할 수 있다.

① 먼저 인조잔디 표면과 공간 사이에 침투된 토사(土沙)를 씻어내기 위하여 살수(撒水)를 실시한다. 이때 흡착되어 고형화된 진흙 덩어리가 용해되어 잘 떨어질 수 있도록 충분히 살수(撒水)하는 것이 중요하다.

② 충분한 살수(撒水)가 이루어진 후, 인조잔디 표면 및 파일(pile), 충전재에 엉겨 굳어 흡착되어 있는 토사(土沙)를 파쇄한다.

③ 다음으로 인조잔디 충전재 인상(引上) 작업과 스위퍼(sweeper)[20] 작업을 각각 3회 정도 실시하여 오염된 충전재 및 오염물을 완전히 제거한다.

④ 인조잔디 표층에 남아 있는 토사(土沙)를 꼼꼼히 제거한 후, 다시 한번 살수(撒

20) 오염물 등을 회전을 이용하여 흡입 청소하는 기계

水)를 실시하여 인조잔디 파일을 깨끗하게 청소하고 현장을 정리한다.

⑤ 인조잔디 파일(pile)이 완전히 건조한 후에는 규사 및 충전재를 포설하고 브러시(brush) 작업으로 마무리 한다.

상기한 바와 같이 침수되어 오염된 인조잔디 구장의 복구 작업은 매우 복잡하고 어려운 과정을 필요로 한다. 그러나 침수 피해 인조잔디 구장은 침수 피해 정도에 따라 다르겠지만 일반적으로 오염물 제거 및 침수피해 복구 작업을 통해 90% 이상의 원상 복원이 가능하다.

따라서 침수피해로 인해 인조잔디 구장의 사용 가능 연한이 남았음에도 인조잔디 구장을 철거하거나 새롭게 교체하는 것 보다는 침수 인조잔디 구장의 복구 및 유지·관리 작업을 통해 상대적으로 적은 비용으로 그 기능을 회복하는 것이 훨씬 효율적이며 바람직하다고 할 수 있다.

그림 2-26 | 침수피해 인조잔디구장 유지관리
출처 : carefield.co.kr

인조잔디구장 유지 · 관리지침

인조잔디 구장의 유지 및 관리를 위한 일반적인 지침은 '관리지침 사항' 및 '인조잔디 구장 이용지침'으로 구분하여 제시할 수 있다.

인조잔디 구장 관리 일반

» 인조잔디 구장 유지·관리를 위한 브러시(brush) 작업은 한 방향 작업을 지양하고 다방향에서 작업을 실시함으로써 구장 내 규사 및 충전재 등의 균등한 분배는 물론 인조잔디 파일의 효율적 직립을 도모할 수 있다.

» 인조잔디 구장의 바닥 표면에 잡초나 이끼가 자라날 수 있으므로 제초제 등 적절한 방법에 의해 식물의 생육을 제거해야 한다.

» 겨울에 강설 시 고무 블레이드(blade)[21]가 부착된 제설기를 사용하여 눈청소를 실시하며 제설 장비가 없는 경우 인력이 직접 넉가래[22] 등을 이용하여 충전재가 유실되지 않도록 세심하게 쌓인 눈을 제거한다.

» 인조잔디 파일(pile) 표면에 얼어붙은 눈이나 얼음은 무리하게 제거할 경우, 파일(pile) 손상이 발생될 수 있으므로 주의해야 한다.

» 인조잔디 구장 위에서 중장비를 사용한 작업을 실시할 경우 최고 2톤(ton) 이하의 장비를 운영해야 인조잔디 시스템의 손상을 방지할 수 있다.

» 인조잔디 구장에서의 장비 운용은 보통 걸음걸이 속도가 적당하며, 급가속이나 급회전, 급정지 등은 금지해야 한다.

» 인조잔디 구장은 오로지 스포츠 및 체육활동을 위해서 사용되어져야 하며, 만약 행사 개최 등 원래 사용하고자 하는 목적 이외의 목적으로 사용될 경우 인조잔디 바닥을 보호하기 위한 적절한 장치가 반드시 마련되어야 한다.

» 인조잔디 구장의 청결 유지를 위하여 구장 내의 인화성 물질 및 껌 등의 반입은 금

21) 블레이드(blade) : 공구 본체에 기계적으로 유지되어 날부를 구성하는 비교적 납작하고 길쭉한 모양의 끌대
22) 넉가래 : 곡식을 밀어모으거나 눈같은 것을 치우는데 쓰이는 도구

지해야 하며, 주변의 흙을 묻히고 입장하여 바닥을 오염시키는 행위도 원천적으로 방지해야 한다.

» 인조잔디 파일(pile)에 오염이 발생되었을 경우 다음 [표 2-4]에 제시하는 바와 같이 간단한 방법을 통해 오염물을 제거할 수 있다.

∝ **표 2-4 | 인조잔디 오염물 제거 방법**

오염의 종류	제거제	제거 방법
마킹 잉크 (marking ink)	Sinna와 중성세제	Sinna로 닦아내고, 그 후 온수(40~45℃) 1ℓ에 30~40g의 중성세제를 용해한 액을 적신 헝겁으로 닦아낸다.
껌	Perchloro Ethylene	Perchloro Ethylene(Dry cleaning액)을 헝겁에 적셔 닦아낸다.
잉크(Ink)	중성세제	온수(40~45℃) 1ℓ에 30~40g의 중성세제를 용해한 액을 적신 헝겁으로 닦아낸다.
흙, 먼지	중성세제	온수(40~45℃) 1ℓ에 30~40g의 중성세제를 용해한 액을 적신 헝겁으로 닦아낸다.
담배재		물로 씻는다.
녹물	3% 수산액	3% 수산으로 닦고 물로 씻는다.
쵸콜릿	Benzene과 중성세제	Benzene으로 닦아내고 그 후 온수(40~45℃) 1ℓ에 30~40g의 중성세제를 용해한 액을 적신 헝겊으로 닦아낸다.
혈액	소금물	염수(물 1ℓ에 반 컵의 소금)로써 닦아내고 미지근한 물로 닦아낸다.

인조잔디 구장 이용지침

경기장용으로 조성된 인조잔디 구장은 인조잔디 운동장의 품질 유지와 원활한 유지·관리를 위하여 다음 사항을 준수하여 경기장을 사용하도록 해야 한다.

» 스포츠 활동 외의 타목적으로의 인조잔디 구장의 사용을 금한다.

» 인조잔디 구장 내 담배 또는 폭죽 등의 화기사용을 금한다.

» 인조잔디 구장 내에는 애완동물의 출입을 금한다.

» 인조잔디 구장 내에서는 유기용제 및 강산성의 화학약품 사용을 금한다.

» 인조잔디에 껌을 뱉거나 음료수 등을 붓지 않는다.
» 인조잔디 구장 내의 출입 시 운동화의 청결을 유지한다.
» 악천후 시 인조잔디 구장의 사용을 자제한다.
» 겨울철 혹한기 및 일조시간 외 사용을 자제한다.
» 철심이 박힌 운동화는 인조잔디 파일손상 및 내구연한을 단축시킬 수 있으므로 사용을 금한다.

스포츠 종목별 경기장 인조잔디(Artificial turf) 유지·관리 사례

스포츠 경기장의 인조잔디 시스템 적용은 초창기에 주로 축구장을 중심으로 보급되기 시작하였으나 최근에는 거의 모든 스포츠종목의 경기장 그라운드(ground)에 인조잔디가 활용되고 있다.

스포츠 경기장 그라운드 인조잔디 시스템의 시공 및 유지·관리 방법은 기본적으로 일반적 작업 과정에 의하지만 각 종목 별 특성에 따라 선수들의 경기력과 안전을 담보할 수 있는 가장 타당하고 적절한 인조잔디 파일(pile) 규격을 적용하고 있다. 또한 각 종목별 경기장 활동 범위 및 사용 특성에 따라 가장 합리적이고 효율적인 각각의 인조잔디 구장 유지·관리 방법을 채택하고 있다.

일반적으로 테니스장, 게이트볼장, 론볼(lawn bowling)장, 골프 퍼팅 그린(putting green) 등과 같이 탄력감이 적고 용이한 공 반발이나 공구름을 요구하는 스포츠 종목의 경우 잔디 파일(pile) 길이가 30㎜ 이하의 단파일이 적용된다. 축구나 야구와 같이 격렬한 활동이 펼쳐지는 스포츠 종목의 경우 우수한 탄력성과 충격흡수성 등을 요구하므로 30㎜ 이상의 잔디 파일(pile)과 적절한 충전재의 조합으로 인조잔디 시스템을 구성한다.

인조잔디 구장의 유지·관리 측면에서도 스포츠 종목의 특성 및 활동 범위 등에 따라 각기 적합한 유지·관리가 적용된다. 다음은 각 종목별 특성에 따른 인조잔디 구장 유지·관리 방법의 사례이다.

인조잔디 야구장 유지 · 관리

최근 사회인 야구 등 동호회를 중심으로 야구장에 대한 수요가 증가하면서 각 지방자치 단체들은 지역주민의 요구를 충족시키며 야구대회 유치를 통한 지역경제 활성화를 꾀하기 위하여 야구장 건설을 적극적으로 추진하고 있다.

근래 건설된 대부분의 야구장은 천연잔디 구장에 비해 상대적으로 관리가 용이하며 경제적으로도 유리한 인조잔디 시스템을 적용하고 있다.

인조잔디 야구장의 경우 그라운드(ground) 전체가 인조잔디로 조성되는 축구경기장과 달리 투수 마운드(mound), 홈 플레이트(home plate), 러닝 트랙(running track) 등의 영역은 인조잔디가 아닌 토사(土沙) 등으로 조성되어 있다.

마운드(mound), 홈 플레이트(home plate), 러닝 트랙(running track) 등의 영역은 야구 경기 중 가장 격렬한 운동 활동이 이루어지는 영역으로 인조잔디로 토사(土沙) 유입이 빈번할 수밖에 없다. 따라서 인조잔디 야구장에서는 이들 영역 주변의 인조잔디 표면에 대한 관리가 특별히 요구된다.

인조잔디 야구장에서의 토사(土沙) 유입은 인조잔디 파일(pile)의 오염 및 기능의 저하는 물론 토사(土沙)의 누적으로 인조잔디 구장의 배수를 방해하게 된다.

따라서 인조잔디 야구장의 유지·관리는 투수 마운드(mound) 주변과 타석을 포함하는 홈 플레이트(home plate) 영역, 1루, 2루, 3루 등 각 베이스(base)로 이어지는 러닝 트랙(running track) 주변의 인조잔디를 중심으로 주변에 혼재된 토사(土沙)를 정

그림 2-27 | 인조잔디 야구장 홈베이스 및 마운드 토사 정비
출처 : carefield.co.kr

리하고 인조잔디 파일을 정비하는 것이 가장 핵심적 관리 항목이 된다.

혼입된 토사(土沙)로 인해 오염되고 얼룩진 인조잔디는 단순 브러시(brush) 작업으로는 개선되지 않는다. 인조잔디 파일(pile) 및 표면의 오염과 얼룩을 제거하고 인조잔디의 기능을 유지하기 위해서는 반복적인 스위퍼(sweeper) 작업과 진공흡입기를 활용한 토사미분(土沙微粉) 제거 작업 등의 꾸준한 정비가 실시되어야 한다.

또한 토사(土沙)로 조성된 활동 영역은 사용빈도에 따라 지속적인 토사(土沙)의 유출이 발생되므로 수시로 토사(土沙)의 양을 확인하고 적절한 보충이 이루어져야 한다.

그 외 영역의 인조잔디에 대한 유지·관리는 브러시(brush)나 충전재 관리 등 일반적인 인조잔디 유지·관리 방법에 의한다.

인조잔디 게이트볼 구장 유지 · 관리

게이트볼은 국내에서 가장 활성화된 생활스포츠 종목 중 하나로 초기에는 고령층을 중심으로 보급되었지만 최근에는 젊은 세대의 참여가 증가되고 있다.

최근 게이트볼 구장은 주로 인조잔디 바닥의 실내구장 형태로 조성되어 사계절 사용이 가능하도록 활용도를 높이고 있으며 지역사회 교류의 장으로도 제공되고 있다.

게이트볼은 합성수지로 만든 직경 7.5cm, 중량 230±10g의 게이트볼 전용 공을 인조잔디 위에 놓고 스틱(stick)으로 타격하고 굴려서 승부하는 경기이다.

따라서 게이트볼 구장의 인조잔디 표면은 공의 구름에 민감하게 반응해야 하므로 인조잔디 파일(pile)의 길이는 30㎜ 이하의 단파일을 주로 사용하며 경기가 진행되는 그라운드(ground) 전체의 평탄성이 확보되어야 한다.

그러나 게이트볼 경기 운영의 특성 상, 가장 높은 사용빈도가 발생되는 게이트볼 시타(始打) 지점과 1번 게이트, 2번 게이트로 이어지는 인조잔디 표면은 집중 답압(踏壓) 및 공 구름 궤적의 굴곡으로 인해 공의 흐름이 왜곡되는 현상이 두드러지게 된다.

답압(踏壓)이 집중된 지점에 단순 브러시(brush) 작업을 실시할 경우 충전재의 일부 분산으로 평탄성이 회복된 것처럼 보일 수 있으나 실제로는 기능적 회복의 한계로 다시 굴곡 현상이 발생된다. 따라서 게이트볼 구장의 집중 답압(踏壓) 지역은 충전재를 인상(引上)하고 재충진함으로써 평탄성을 회복시켜야 한다.

대부분의 게이트볼 구장은 실내에 조성되어 있거나 지붕이 설치되어 있으므로

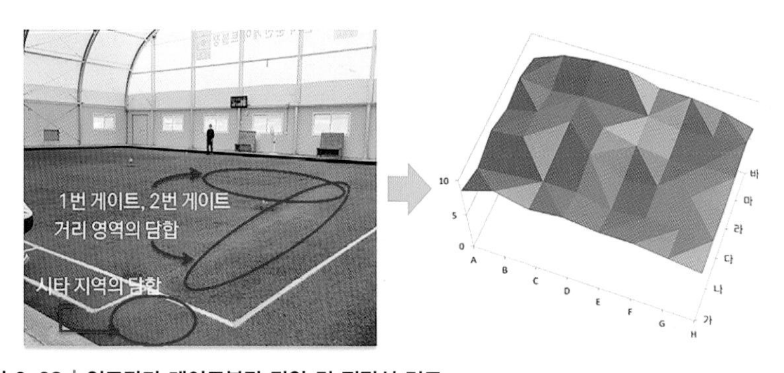

그림 2-28 | 인조잔디 게이트볼장 답압 및 평탄성 검토

출처 : ㈜케어필드 인조잔디구장 관리 기초 및 사례를 통한 효율적 유지관리 방안(2022)

그림 2-29 | 인조잔디 게이볼장 유지 관리
출처 : carefield.co.kr

인조잔디나 충전재는 거의 양호한 상태가 유지된다. 따라서 인상(引上)된 충전재 상태를 확인한 후 재사용할 수 있으며 부족한 부분을 보충하는 것이 효율적이다.

충전재 인상(引上) 후 재충진 시, 콘트라 브러시(contra brush), 드래그 브러시(drag brush), 회전브러시(rotary brush) 등의 작업을 반복하여 실시함으로써 인조잔디 표면의 평탄성을 개선하고 오염물 및 이물질을 제거할 수 있다.

인조잔디 테니스장 및 족구장 유지 · 관리

테니스 구장의 종류는 바닥의 재질에 따라 '하드 코트(hard court)', '클레이 코트(clay court)', '잔디 코트(grass court)' 및 '인조잔디 코트(artificial turf court)' 등으로 구분된다.

'하드 코트(hard court)'는 콘크리트나 아스팔트, 고무 등 견고한 재질로 코트(court) 바닥을 조성한 것으로 관리가 용이하며 비가 온 후에도 물기만 제거하면 바로 사용할 수 있다는 장점이 있다. 그러나 바닥이 딱딱해 탄력성이 거의 없으며 무릎에 충격이 심하게 가해지므로 선수 부상 위험이 크다.

'클레이 코트(clay court)'는 운동장 표면을 점토(clay)로 조성한 것으로 바닥의 탄력성이 우수하지만 점토 특성상 관리비용이 많이 소요되며 꾸준한 유지·관리가 이루어지지 않으면 바닥의 요철이 심해져서 경기에 지장을 줄 수 있다.

잔디코트는 천연잔디를 사용하는 '그래스 코트(grass court)'와 인조잔디로 조성된 '인조잔디 코트(artificial turf court)'로 나눌 수 있다. '그래스 코트(grass court)'는 단단하게 다져진 토층에 천연잔디를 식재하여 사용하는 코트로서 선수들이 경기력을 발휘하는데 가장 적합한 운동장 바닥이다. 그러나 천연잔디 코트(court)는 시설비 및 유지비가 매우 많이 소요되며 관리가 어렵다는 단점을 갖는다.

따라서 최근에는 '하드 코트(hard court)'와 '클레이 코트(clay court)'의 장점을 포함하며 천연잔디의 느낌까지 구현하는 '인조잔디 코트(artificial turf court)'가 가장 많이 시공되고 있다.

'인조잔디 코트(artificial turf court)'는 공의 속도, 반발력, 지면 마찰력 등이 우수하며 관절에 전달되는 충격도 상대적으로 적어 부상의 위험을 감소시켜 준다. 또한 시공 및 인조잔디 바닥에 대한 유지·관리도 비교적 용이하다는 장점을 갖는다.

테니스 코트(court)의 시공에 사용되는 인조잔디는 대부분 인조잔디 파일(pile)의 길이가 20㎜ 이하인 단파일(pile)을 사용하며 바닥에 규사를 포설한다. 따라서 인조

그림 2-30 | 인조잔디 테니스 코트 유지 관리

출처 : ㈜케어필드 인조잔디구장 관리 기초 및 사례를 통한 효율적 유지관리 방안(2022)

잔디 테니스 코트(court)의 유지·관리는 주로 브러시(brush) 작업을 통한 인조잔디 파일(pile)의 정렬 및 바닥 평탄 작업이 대부분이다.

테니스 종목의 경기 특성 상 주로 코트(court)의 양 끝부분인 베이스 라인(base line)을 중심으로 선수 움직임이 집중된다. 따라서 인조잔디 테니스 코트(court)의 유지·관리에서 특히 주의해야 할 사항은 주로 베이스 라인(base line) 부분에 규사가 쏠리거나 반대로 규사가 유실되므로 이 부분에 대한 관리가 매우 중요하다.

규사의 균등한 배치와 평탄화를 위해서는 브러시(brush) 작업이 가장 효율적이며 특히 베이스 라인(base line)과 같이 활동 빈도가 높은 부분은 정밀한 브러시(brush) 작업을 반복적으로 실행하여야만 균일한 바닥 상태를 유지할 수 있다.

또한 정밀 브러시(brush) 작업이 수행되기 전에 규사의 유실로 충진량이 부족한 부분을 확인하고 충분히 보충함으로써 테니스 코트(court)의 기능을 유지할 수 있다.

족구장의 인조잔디 바닥에 대한 유지·관리는 테니스 코트(court)의 유지·관리 방법과 동일하나, 종목의 특성상, 테니스 경기에 비해 상대적으로 센터 라인(center line) 부근에서의 선수 활동이 활발하므로 이 부분에 대한 집중 관리가 요구된다.

그림 2-31 | 인조잔디 족구장 유지 관리 과정

출처 : ㈜케어필드 인조잔디구장 관리 기초 및 사례를 통한 효율적 유지관리 방안(2022)

인조잔디 구장 유지·관리를 위한 장비

인조잔디 구장의 유지·관리는 주로 전문적인 장비를 사용하여 작업한다. 일반적으로 인조잔디 작업을 위한 다목적 트랙터를 비롯하여, 인조잔디 표면의 경기성 회복 및 인조잔디 파일(pile)의 입모(立毛), 표면 균일성 유지 등을 위한 다양한 브러시(brush) 장비, 인조잔디 표층의 청소를 위한 스위퍼(sweeper) 장비, 충전재 인상 및 파쇄기, 충전재 수거기, 포설기 등이 인조잔디 구장의 유지·관리를 위한 주요 장비이다.

다음은 인조잔디 구장 유지·관리를 위한 대표적 장비들이다.

트랙터(tractor)

- 트랙터(tractor)는 여러 가지 농작업기를 연결하여 동력을 공급하며, 주행 또는 정지상태에서 작업을 수행하는 기계이다.
- 인조잔디 구장 유지·관리를 위하여 기존 농업용 트랙터의 타이어를 바닥이 평평한 플랫타이어(flat tire)로 교체하여 사용한다.
- 트랙터의 PTO(Power Take Off, 동력인출장치)에 수십개의 기기를 연결하여 다양한 작업을 할 수 있다.
- 인조잔디 유지·관리를 위하여 필요한 단계별 장비를 트랙터의 PTO에 부착하여 사용한다.

콘트라 브러시(contra brush)

· 콘트라 브러시(contra brush)는 인조잔디 표층 약 20㎜ 정도 아래의 속 잔디가 뭉쳐있는 것을 풀어주는 기능을 하며, 인조잔디 안쪽의 충전재 칩(chip)들을 브러시(brush)하여 배수 성능을 유지시켜 주고 상층부의 답압(踏壓) 속도를 늦추게 하는 역할을 한다.
· 콘트라 브러시(contra brush)는 브러시(brush)의 솔 방향이 역방향으로 진행됨으로써 충전재의 하부층 답압(踏壓)을 해소시켜주는 역할도 담당한다.

드래그 브러시(drag brush)

· 드래그 브러시(drag brush)는 가장 일반적으로 손쉽게 활용되는 브러시(brush) 이다.
· 보통 솔을 트랙터(tractor)나 1톤 미만의 소형 자동차 후면에 유압식 또는 단순 부착식 견인 장치로 장착하여 사용한다.
· 드래그 브러시(drag brush)는 특히 인조잔디 파일(pile)의 직립성 회복 및 인조잔디 표면을 일정하게 메워주는데 효과가 있으며, 답압(踏壓)을 지연시키는데 효과적이다.

로터리 브러시(rotary brush)

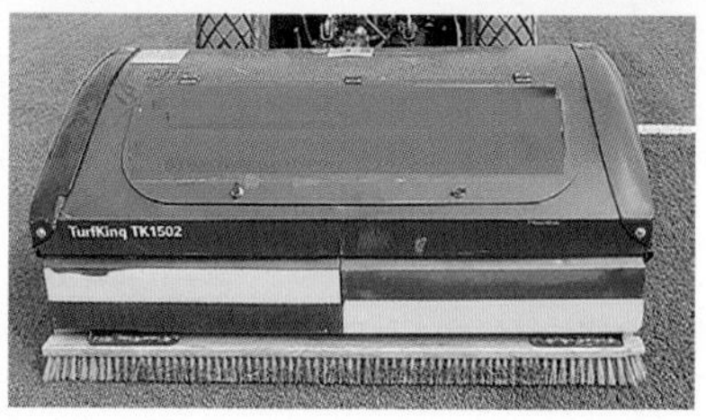

- 로터리 브러시(rotary brush)는 솔 방향이 정방향 또는 역방향으로 회전하면서 브러싱(brushing)한다.
- 따라서 잔디 파일(pile) 및 표면의 이물질을 제거하는데 특히 효과적이며, 뉘어진 잔디표면을 세워주는 기능도 탁월하다.
- 로터리 브러시(rotary brush) 작업 시에는 수시로 이물질을 제거해 주어야 하며, 충전재가 유실되지 않도록 특별히 세심한 주의를 기울여야 한다.

스위퍼 브러시(sweeper brush)

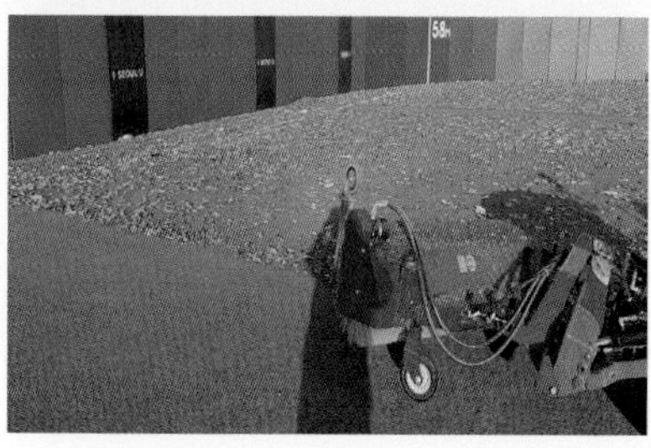

- 스위퍼(sweeper)는 본래 먼지나 쓰레기 등을 회전력을 사용하여 흡입하는 청소기계로서 건조되어 있을 때는 살수도 가능하다.
- 인조잔디 유지·관리에서는 브러시(brush)가 장착된 스위퍼(sweeper)를 사용하며 충전재나 토사 및 퇴적물을 효과적으로 제거한다.
- 스위퍼 브러시(sweeper brush)는 주로 심하게 오염된 인조잔디 표층을 청소하는데 사용된다.

충전재 인상기(引上機) 및 파쇄기

- 충전재 인상기(引上機)는 인조잔디 내부층에 있는 충전재를 끌어올리기 위한 장비로서 답압된 잔디의 탄성을 부여하거나 충전재 수거를 위한 기초작업을 수행한다.
- 충전재를 인상(引上)할때에는 인상기를 사용하여야만 잔디 파일을 손상하지 않고 가장 효율적으로 충전재를 끌어 올릴 수 있다.
- 충전재 파쇄기는 엉겨진 미세 충전재나 답압이 심화된 구장에서 사용하는 장비로서 충전재 인상 작업 전에 충전재를 잘게 파쇄하여 인상 작업을 용이하게 해주는 역할을 한다.

충전재 수거기

- 충전재 수거기는 변형되거나 불량 충전재를 인조잔디 표면에서 수거하는 작업을 수행한다.
- 주로 인상(引上) 작업 후에 끌어올려진 폐충전재를 수거하며, 충전재 수거기를 사용하여 수거할 경우 90%의 수거율을 나타내므로 충전재 수거 시 수거기를 사용하는 것이 효율적이다.
- 수거된 충전재는 수거기를 통하여 자동으로 마대에 적재함으로써 폐기물 비산을 억제할 수 있도록 하는 것이 좋다.

포설기

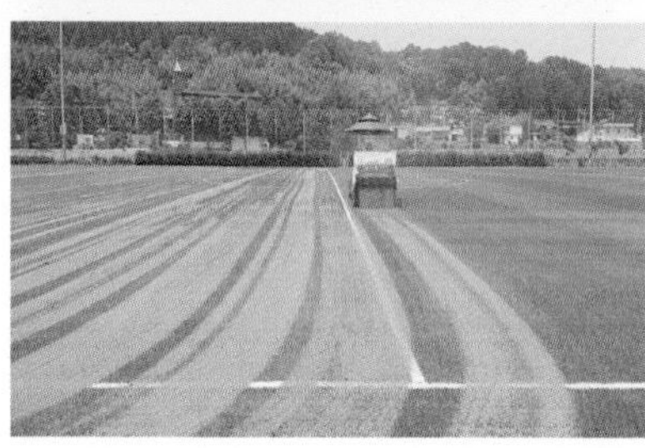

- 포설기는 인조잔디 시스템을 이루는 규사나 고무칩 등의 충전재를 살포하는 장비이다.
- 충전재나 규사 등을 살포할 때에는 전문장비인 포설기를 사용하여야 살포 재료를 일정하고 균등하게 포설할 수 있다.

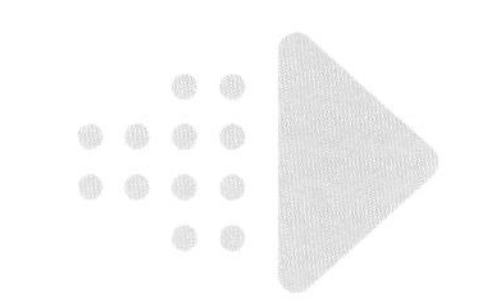

Part 3.

스포츠경기장 인조잔디 성능평가

경기장 인조잔디(Artificial turf) 성능 평가

경기장 인조잔디(Artificial turf) 성능 평가 일반

선수들의 스포츠 활동이 직접 이루어지는 경기장 인조잔디 시스템은 스포츠 성능 특성이나 생체 역학적 특성이 고려된 다양한 기준을 충족시킴으로써 품질과 안전성, 기능성 등이 확보되었을 때 선수들의 활동 안전과 안정적인 경기력을 담보할 수 있다.

인조잔디 시스템(Artificial turf system)은 인조잔디 파일(pile)과 충전재(infill), 기포지(woven fabrics) 등으로 구성된 인조잔디와 인조잔디 매트(mat), 충격흡수 패드(shock pad), 충격흡수 배수판(shock-drain pad), 규사 및 탄성칩 등으로 구성된 하부구조와의 결합으로 이루어진다.

따라서 경기장 인조잔디의 성능 평가는 인조잔디 시스템을 구성하는 각 요소들의 형태 및 재질 등 물리적 특성이 평가항목이 되며, 각 구성 요소들의 유해성 및 인조잔디 시스템의 기능적 성능 등도 평가대상에 포함되어 종합적으로 측정·평가

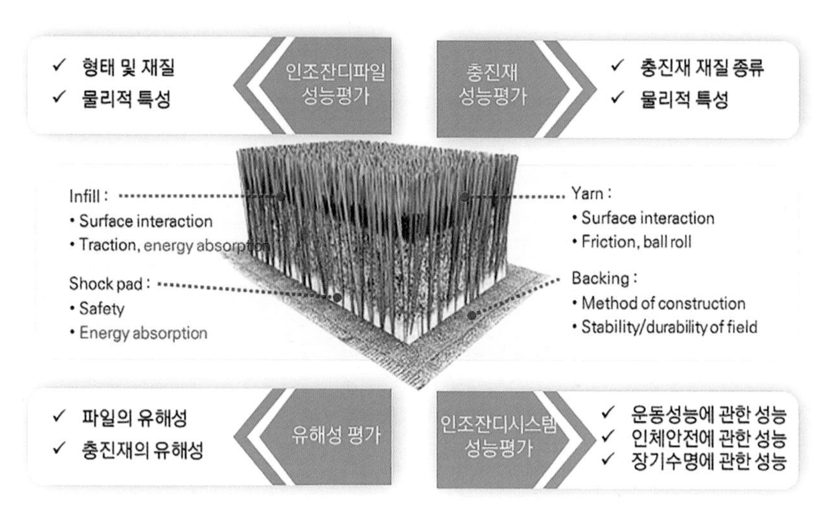

그림 3-1 | 경기장 인조잔디 성능평가 항목

된다.

경기장 인조잔디 시스템에 대한 종합적 성능평가란 스포츠 경기장으로서 갖추어야 전반적인 성능을 표준화된 시험방법을 통해 개량화하여 적합성을 평가하는 것이다.

우리나라에서는 국내 인조잔디의 명확한 품질 기준 및 성능수준, 측정 및 시험방법 등을 한국산업표준인 'KS F 3888-1'에 규정하고 표준에 따르도록 하고 있다.

경기장 인조잔디 시스템의 성능과 관련된 구체적 측정·시험 항목은 인조잔디 표면의 충격하중에 대한 '충격 흡수성' 평가를 비롯해 인조잔디에 가해지는 일정 하중에 대한 수직 방향 변경량을 측정하는 '수직방향변형', 인조 잔디 표면과 접촉하고 있는 하중이 실어진 발(foot)이 회전하기 위하여 필요한 토크(torque)[23]를 측정하는 '회전 저항', 피부와 잔디표면 사이의 마찰 계수를 평가하는 '피부/표면 마찰' 등

23) 회전력이라고도 하며 순간적으로 내는 힘을 의미함

이 있다.

또한 인조잔디 표면 위에서 공(球)의 일정한 기준 거리 이동 여부를 측정하는 '공 구름' 측정, 공(球)이 인조잔디 표면으로부터 일정한 높이의 수직 반발 높이를 충족하는지를 평가하는 '공 반발' 측정, 인조잔디 시스템 표면의 기계적 마모를 모사하기 위한 시험으로 '스터드(stud) 마모' 시험 등이 성능시험 항목에 포함된다.

경기장 인조잔디 시스템을 구성하는 각 구성 요소인 '인조잔디 매트(mat)', '충격흡수 패드' 및 '충격흡수 배수판', '탄성칩(elastic chip)' 등의 물리적 특성에 대한 품질 및 유해성 평가 기준에 대해서는 이미 본 서(書) 제1편(Part 1)의 제2장 '인조잔디 품질기준'에서 다루고 있으므로 본 제2편(Part 2)에서는 인조잔디 시스템의 주요한 기능적 성능평가에 대한 개념 및 방법, 기준 등에 대해 설명한다.

인조잔디 충격흡수성 평가

경기장 인조잔디의 충격흡수성 평가는 인조잔디 표면의 단단함 정도를 평가하는 지표이다. 즉, 선수들이 경기 중 뛰거나 도약(jump) 후 바닥에 발을 착지하였을 때 경기장 바닥이 선수들의 충격을 얼마나 잘 흡수하는가에 대한 기준이다.

충격흡수성이 낮은 인조잔디 구장은 선수들의 발목이나 무릎, 엉덩이, 척주 등 관절 골격 사이의 연골 손상을 유발할 수 있으며, 충격흡수성이 너무 높은 인조잔디 구장은 오히려 선수들의 과도한 피로를 유발할 수 있어 경기력에 부정적 영향을 미치게 된다.

충격흡수성 측정방법은 충격흡수성 측정장치의 스프링에 연결된 낙하물을 검사바닥 표면에 떨어뜨려 낙하물이 낙하를 시작하는 순간부터 검사표본에 충돌한 직후까지의 가속도를 기록하여 측정한다.

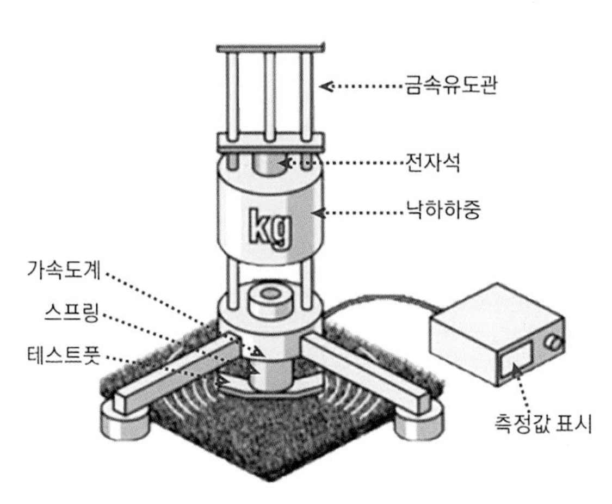

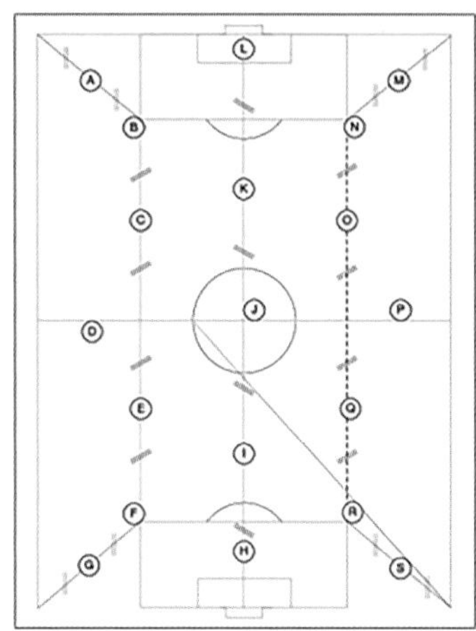

그림 3-2 | 충격흡수성 측정기기 및 측정지점

콘크리트 표면에 대한 충격하중을 기준으로 측정대상 인조잔디 표면의 충격하중의 감쇄율을 적용하여 충격흡수값을 계산하는 방식이다.

충격흡수성 측정은 인조잔디 운동장의 선수 활동량을 고려하여 모두 19개의 측정 지점을 선정하여 측정한다. 19곳의 각 검사지점에 대하여 각 3번의 측정을 반복하며 측정한 값 중 2차 측정값과 3차 측정값의 평균값을 측정 지점의 충격흡수성 측정값으로 한다.

그동안 경기장 인조잔디에 대한 품질 성능 기준은 일반 학교운동장용 인조잔디 성능 기준을 적용하였다. 따라서 경기장 인조잔디의 충격흡수성은 학교운동장용 인조잔디 성능 기준인 50% 이상을 충족하기만 하면 되는 불합리한 기준을 적용함으로써 선수들의 안전성에 문제가 논란이 되었었다.

그러나 2022년 5월 한국산업표준인 'KS F 3888-1'이 개정되면서 국내 경기장용 인조잔디의 충격흡수성 품질 기준을 국제축구연맹(FIFA)이 규정한 충격흡수성 기준으로 적용하게 되었다.

∝ **표 3-1 | 경기장 인조잔디 충격흡수성 품질 기준**

충격흡수성 품질 기준(%)								
한국산업표준 (KS F 3888-1)	A유형	B유형	C유형	D유형	E유형	F유형	G유형	H유형
	50 이상	50 이상	20 이상	20 이상	10 이상	10 이상	57-68	62-68
국제축구연맹 (FIFA)	FIFA Quality Pro				60~70 ±5%			
	FIFA Quality				55~70 ±10%			

한국산업표준원은 국내 경기장 인조잔디의 충격흡수성 기준을 국제축구연맹(FIFA)의 '퀄러티 프로(Quality Pro)' 등급(인조잔디 시스템 H 유형)과 '퀄러티(Quality)' 등급(인조잔디 시스템 G 유형) 수준을 반영하여 'H' 유형 인조잔디 구장의 충격흡수성은 62~68%, 'G' 유형 인조잔디 구장의 충격흡수성은 57~68%로 상향 조정하였다.

인조잔디 수직방향변형 평가

경기장 인조잔디의 수직방향변형 평가는 인조잔디 표면의 안정성에 대한 기준이다. 즉 인조잔디 구장에서 선수가 달리다가 갑자기 방향을 바꿀 때 안정적으로 방향전환을 할 수 있는가에 대한 안전 성능에 대한 평가이다.

인조잔디 수직방향변형의 측정 방법도 충격흡수성 측정 방법과 동일하게 측정기계의 스프링에 연결된 낙하물을 검사표본에 떨어뜨려 낙하물이 낙하를 시작하는 순간부터 검사표본에 충돌한 직후까지의 가속도를 측성한다. 즉 낙하물이 인조잔디 바닥 표면에 최초로 접지된 이후 검사표면 내부에서 이동한 변위를 사용하여 인조잔디의 수직방향변형 값을 측정하는 방식이다.

수직방향변형 측정 역시, 인조잔디 운동장에서의 선수 활동량을 고려하여 모두 19개의 측정 지점을 선정하여 측정한다. 충격흡수성 측정과 마찬가지로 각 검사지

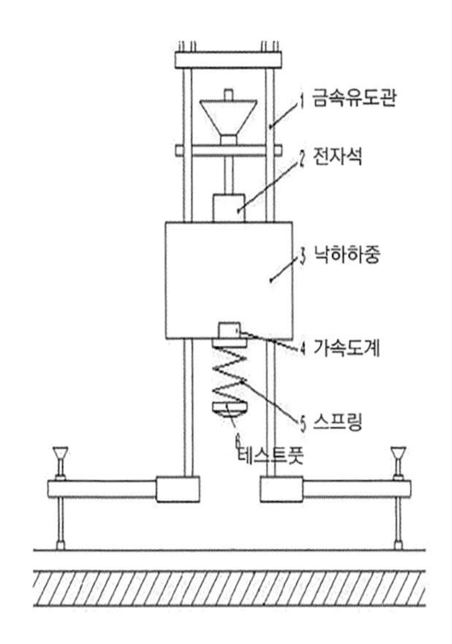

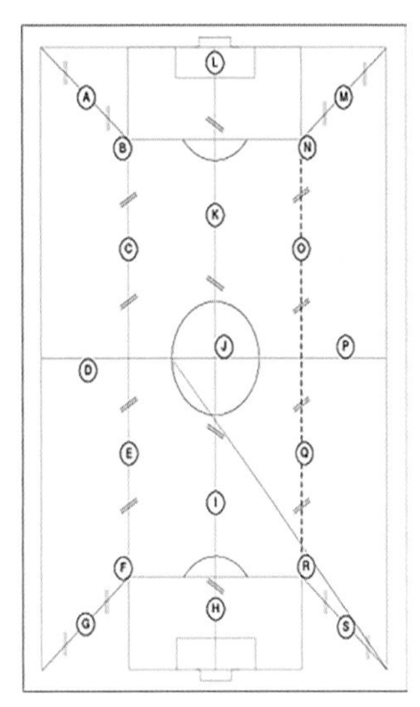

그림 3-3 | 수직방향변형 측정기기 및 측정지점

점에 대하여 각 3번의 측정을 반복하며 측정한 값 중 2차 측정값과 3차 측정값의 평균값을 측정 지점의 수직방향변형 측정값으로 한다.

2022년 5월 개정된 한국산업표준인 'KS F 3888-1'에서는 인조잔디 구장의 충격흡수성 뿐만 아니라 수직방향변형, 회전저항, 공의 반발력, 공 구름 등에 대한 시험 항목의 기준값도 국제축구연맹(FIFA)에서 규정하는 품질 기준에 맞추어 상향 조정한 바 있다.

따라서 현재 한국산업표준인 'KS F 3888-1'에서 제시하는 인조잔디 구장의 수직방향변형 품질 기준은 국제축구연맹(FIFA)이 규정한 품질 기준인 퀄러티 프로(Quality Pro) 등급의 4~10㎜(±10%), 퀄러티(Quality) 등급의 4~11㎜(±15%)를 반영하였으며, 국내 인조잔디 시스템의 각 유형별 수직방향변형 측정값의 품질 기준을 3~10㎜ 범위에서 제시하고 있다.

∝ 표 3-2 | 경기장 인조잔디 수직방향변형 품질 기준

수직방향변형 품질 기준(㎜)								
한국산업표준 (KS F 3888-1)	A유형	B유형	C유형	D유형	E유형	F유형	G유형	H유형
	3-10	3-10	10 이하	10 이하	10 이하	10 이하	4-11	4-10
국제축구연맹 (FIFA)	FIFA Quality Pro			4~10 ±10%				
	FIFA Quality			4~11 ±15%				

인조잔디 회전저항 평가

인조잔디 경기장에서의 회전저항 평가는 운동장에서 선수들이 경기 중 순간적으로 방향을 전환하는 경우 미끄럼 정도에 대한 측정 평가이다.

인조잔디 운동장 바닥에 선수들의 발이 단단히 고정된 상태에서 갑자기 방향을 전환하는 경우 무릎 십자인대에 강한 회전 압력이 작용된다. 십자인대는 대퇴골과 정강이뼈를 고정하는 역할을 하므로 앞뒤 운동에는 강하지만 회전 압력에는 취약할 수밖에 없다.

경기 중 선수의 무릎에 회전압력이 지속되면 십자인대의 파열 위험이 높아진다. 따라서 인조잔디 구장의 경기장 바닥은 이러한 회전 저항을 어느 정도 완충해 줄 수 있는 품질 기준을 만족해야 선수들의 안전을 확보할 수 있다.

인조잔디 구장의 회전저항 측정방법은 검사표면에 하중을 가하고 있는 검사 판을 회전시키기 위한 토크(tourque, 회전력)를 측정하여 회전저항을 계산한다.

회전저항의 측정은 다음 [그림 3-4]에 나타난 바와 같이 순간적인 회전저항을 필요로 하는 활동 특성을 나타낼 만한 6개의 측정 지점을 선정하여 회전저항을 측정한다.

6곳의 각 검사지점 내 측정지점에서 검사판의 테두리가 서로 100㎜ 이상 떨어

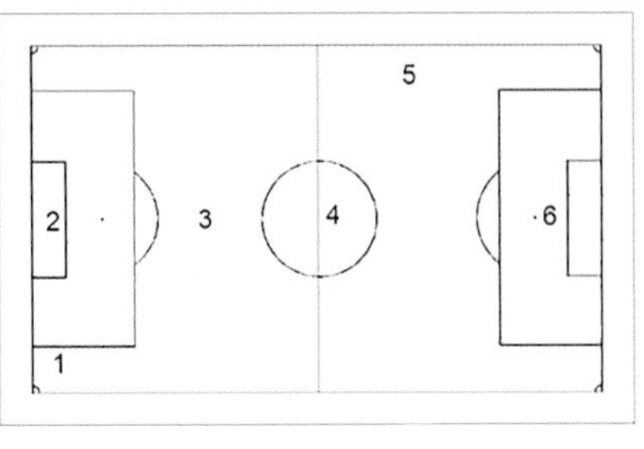

그림 3-4 | 회전저항 측정기기 및 측정지점

진 5곳에서 개별적으로 회전저항을 측정하게 된다. 각 지점 당 5곳의 측정값에 대한 평균값이 해당 지점의 회전저항 측정값이 되며 이렇게 측정된 6개 지점의 전체 평균값이 회전저항 측정값이 된다.

한국산업표준인 'KS F 3888-1'에서 제시하는 국내 인조잔디 시스템의 각 유형별 회전저항 품질 기준은 25~50Nm 범위 내로 국제축구연맹(FIFA)에서 제시하는 회전저항 품질 기준에 준하여 품질 기준을 규정하고 있다.

표 3-3 | 경기장 인조잔디 회전저항 품질 기준

회전저항 품질 기준(Nm)								
한국산업표준 (KS F 3888-1)	A유형	B유형	C유형	D유형	E유형	F유형	G유형	H유형
	25-50	25-50	-	-	-	-	27-48	32-43
국제축구연맹 (FIFA)	FIFA Quality Pro			30~45 ±6%				
	FIFA Quality			25~50 ±10%				

인조잔디 수직 공반발 평가

경기장 인조잔디에서의 수직 공반발 평가는 주로 축구 경기장에서의 성능검사에 해당된다. 수직 공반발 평가는 인조잔디 구장 표면에 공이 튀어 오르는 높이에 대한 기준이다. 수직 공반발은 선수들의 공 제어(control) 난이도에 영향을 미친다.

인조잔디 구장의 수직 공반발 측정방법은 검사표면으로부터 공 하단까지의 높이가 2m ±0.01의 지점에서 충격이나 회전의 발생없이 공을 자유낙하 시켜 바닥에서의 첫 번째 공 반발과 두 번째 공반발 사이의 시간 간격을 초 단위로 측정한다,

인조잔디 구장의 수직 공반발 측정은 운동장에서 선수가 가장 많이 사용할 것으로 판단되는 6개 지점을 선정하여 측정한다. 6곳의 각 검사지점 내에서 위치를 달리하여 5번 반복하여 측정한 평균값이 지점의 공 반발 측정값이 되며, 이렇게 측정된 6개 각 검사지점의 평균값을 계산하여 해당 검사 구장의 수직 공반발 측정값으로 평가한다.

측정값은 한국산업표준 'KS F 3888-1'에서 제시하는 기준과 비교하여 인조잔디 경기장 바닥이 적절한 반발력을 확보하고 있는지 평가한다.

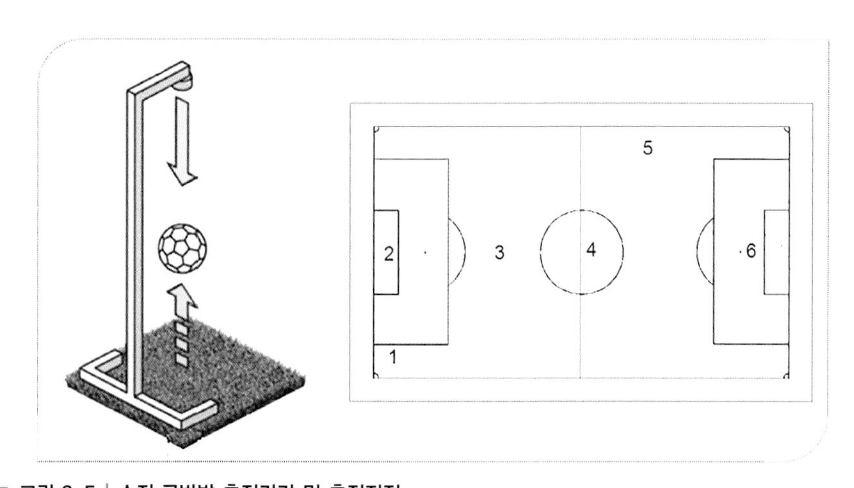

그림 3-5 | 수직 공반발 측정기기 및 측정지점

∝ **표 3-4 | 경기장 인조잔디 수직 공반발 품질 기준(단위:cm)**

	수직 공반발 품질 기준(m)							
한국산업표준 (KS F 3888-1)	A유형	B유형	C유형	D유형	E유형	F유형	G유형	H유형
	50-120	50-120	-	-	-	-	60-100	60-85
국제축구연맹 (FIFA)	FIFA Quality Pro				60~85 ±5%			
	FIFA Quality				60~100 ±10%			

한국산업표준인 'KS F 3888-1'에서 제시하는 국내 인조잔디 시스템의 각 유형별 수직 공반발 품질 기준은 50~120m 범위 내로 국제축구연맹(FIFA)에서 제시하는 수직 공반발 품질 기준의 범위에 비슷한 수준에서 품질기준을 규정하고 있다.

인조잔디 공구름 평가

경기장 인조잔디에서의 공구름 평가도 주로 축구 경기장에서의 성능검사에 해당된다. 공구름 평가는 인조잔디 구장 표면에 공이 굴러가는 거리에 대한 기준이다. 공구름은 선수들의 드리블(dribble) 난이도에 영향을 미친다.

인조잔디 구장의 공구름 측정방법은 검사표면으로부터 공 하단까지 1m 정도 되는 높이에서 공을 경사로에 올려 놓고 공이 경사로 및 바닥표면을 가로질러 완전히 멈출 때 까지 굴러간 거리를 측정한다. 이때 공이 인조잔디 상단의 검사표면에 처음 닿는 지점과 공이 완전히 멈춘 후 공 중심의 직하부 사이의 수평 거리를 측정한다.

충전재가 적용된 인조잔디 구장의 경우 경사로를 수직으로 세워 그 끝이 충전재의 상단에 위치하도록 조절하고 충전재가 적용되지 않은 인조잔디 구장의 경우에는 인조잔디의 상단에 위치하도록 조정하며, 경사로를 따라 표면으로 이동하는 공이 튀어 오르지 않도록 주의하여 공을 굴린다.

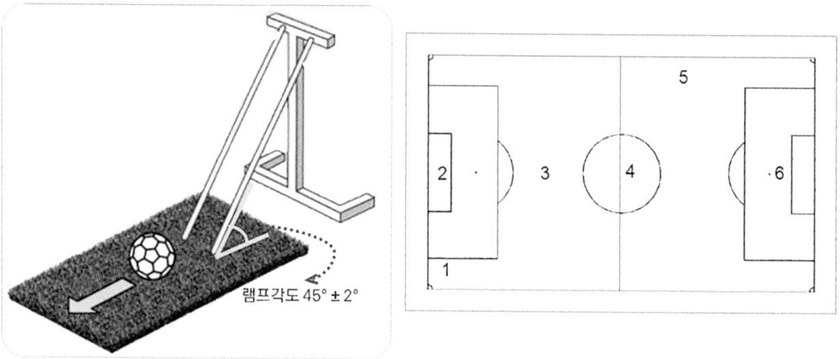

램프각도 45° ± 2°

5
2 3 4 6
1

그림 3-6 | 공구름 측정기기 및 측정지점

인조잔디 구장의 공구름 측정은 운동장에서 선수가 가장 많이 사용할 것으로 판단되는 6개 지점을 선정하여 측정한다. 6곳의 각 검사지점 내에서 방향을 달리하여 5번 반복하여 측정한 평균값이 지점의 공 구름 측정값이 되며, 이렇게 측정된 6개 각 검사지점의 평균값을 계산하여 해당 검사 구장의 공구름 측정값으로 평가한다.

측정값은 한국산업표준 'KS F 3888-1'에서 제시하는 기준과 비교하여 인조잔디 경기장 바닥이 적절한 공구름 성능을 확보하고 있는지 평가한다.

국제축구연맹(FIFA)에서는 인조잔디 구장의 공구름 품질 기준에 대하여 최초인증과 재인증을 구분하여 제시하고 있다. 퀄러티 프로(Quality Pro) 등급에서는 공구름 기준을 4~8m ±10%로 규정하고 있으며, 퀄러티(Quality) 등급에서는 공구름 기준을 4~8m ±15m로 허용범위에 대한 오차를 퀄러티 프로(Qualilty Pro) 등급보다 상대적으로 5% 정도 더 허용하고 있다.

한국산업표준인 'KS F 3888-1'에서 제시하는 국내 인조잔디 시스템의 각 유형별 공구름 품질 기준은 G 유형은 4~10m, H 유형은 4~8m로 국제축구연맹(FIFA)의 기준과 거의 동일하다.

∝ **표 3-5 | 경기장 인조잔디 공구름 품질 기준**

공구름 품질 기준(m)								
한국산업표준 (KS F 3888-1)	A유형	B유형	C유형	D유형	E유형	F유형	G유형	H유형
	-	-	-	-	-	-	4-10	4-8
국제축구연맹 (FIFA)	FIFA Quality Pro		최초인증		4~8 ±10%			
			재인증		4~8 ±10%			
	FIFA Quality		최초인증		4~8 ±15%			
			재인증		4~8 ±15%			

인조잔디 평탄도(planarity) 평가

경기장 인조잔디에서의 평탄도 평가는 인조잔디 바닥 표면에 굴곡이나 패인 곳이 있는지를 측정하는 것이다. 인조잔디 구장의 바닥이 울퉁불퉁하거나 움푹 패이거나 반대로 불룩 솟아올라 있으면 경기 중 선수들의 안전에 위협이 될 수 있다. 따라서 인조잔디 바닥의 평탄도를 측정하여 위 험요소들을 제거해 주어야 한다.

경기장 인조잔디 평탄도 검사 방법은 구장 경계선 내에서 3m 길이의 직선자(straight edge)를 가로와 세로 방향으로 끌고 다니면서 경기장 표면의 평탄도를 측정한다. 경기장 바닥 전체를 직선자(straight edge)로 끌고 다니다가, 직선자와 인조잔디 바닥 표면 사이의 유격이 있는 곳이 발견되면, 유격 사이에 쐐기 모양의 슬립 게이지(slip gauge)를 사용하여 유격 정도를 측정한다.

인조잔디 표면과 직선자(straight edge)의 유격이 10㎜ 이상이면 인조잔디 바닥의 평탄도가 부적절하다고 평가하고 해당 지점을 경기장 평면도에 표시한다.

경기장 평면도에 표시된 각 지점은 아래로 패인 지점인지 혹은 위로 튀어 나온 지점인지를 명확하게 표시하여 향후 평탄화 작업을 실시하여야 한다.

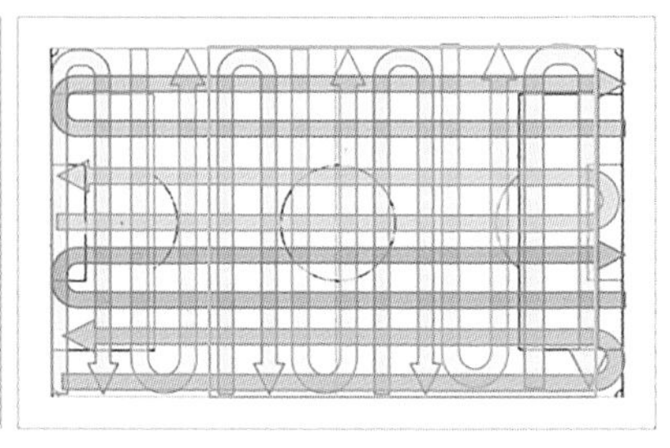

그림 3-7 | 평탄도 측정 방법 및 측정 위치

경기장 경계선 내의 세로선과 평행한 방향으로 평탄도 검사를 완료한 후, 세로선과 작각 방향의 평탄도를 동일한 방법으로 반복하여 검사를 실시한다.

국제축구연맹(FIFA)에서는 인조잔디 구장의 평탄도 기준을 퀄러티 프로(Quality Pro) 등급, 퀄러티(Quality) 등급 모두에서 직선자(straight edge)와 슬립 게이지(slip gauge) 사이의 유격을 10㎜ 이하로 허용하고 있다.

한국산업표준인 'KS F 3888-1'에서는 인조잔디 구장의 평탄도에 대한 품질 규격을 제시하고 있지 않지만 국내 프로축구 리그 인 K-리그에서는 국제축구연맹(FIFA)에서 규정하고 있는 직선자(straight edge)와 슬립 게이지(slip gauge) 사이 유격 10㎜ 미만 기준을 적용하고 있다.

표 3-6 | 경기장 평탄도 품질 기준

평탄도 품질 기준(㎜)		
K리그 그라운드 공인제도 품질규격	K-GT1	≤10
국제축구연맹(FIFA)	FIFA Quality Pro	≤10
	FIFA Quality	≤10

경기장 인조잔디(Artificial turf) 육안점검(Visual Inspection)

경기장 인조잔디 시스템에 대한 다양한 성능점검은 선수들의 스포츠 활동이 직접 이루어지는 인조잔디 바닥 표면의 기능적 품질을 정밀한 전문 측정도구를 사용하여 일정의 요구 기준에 부합하는지 평가하는 것이다.

경기장 인조잔디 시스템의 성능점검과 더불어 직관적 평가인 육안점검을 통해서도 인조잔디의 중대한 결함여부를 확인할 수 있다.

그림 3-8 | 육안점검 사례

국제축구연맹(FIFA)은 'FIFA Quality Programme for Football Turf, Handbook of requirement'(2015)에서 인조잔디 및 경기장 그라운드(ground) 내의 결함 및 위험 요소 등에 대한 육안 점검 요소들을 규정하고 있다(표 참조).

인조잔디 파일(pile) 및 매트, 충전재 등의 상태, 인조잔디 접합부의 파열 및 노출, 천공 여부, 인조잔디 구장의 라인 표시(line marking) 상태 등 경기장 내 안전 및 인조잔디 성능 유지를 위해 필요하다고 판단되는 육안점검 사항들을 제시하고 있다.

인조잔디 파일(pile) 상태에 대한 구체적 육안점검 사항으로는 파일(pile)이 너무 높거나 혹은 낮지는 않았는지, 과도한 마모나 손상, 주름, 점착은 없는지를 점검하며, 인조잔디 매트의 천공(穿孔) 및 보수 여부도 육안점검을 통해 확인한다.

∝ **표 3-7 | 인조잔디 품질 관련 육안점검 범례**

구 분	주 석
잔디매트 (Carpet)	매트 천공(Hole in Carpet)
	보수(Repair)
파일사 (Fibres)	파일사 점착(Adhesive ofn fibres)
	파일사 마모도 높음(High wear of fibres)
	파일사 손상(Loose fibres)
	파일사 누움(Flattened fibres)
충전재 (Infill)	충전재 과잉 충전(Excess infill)
	충전재 부족(Low infill)
라인 표시 (Line Markings)	라인표시 위치 불량(Line Markings in wrong position)
	라인 직선 불량(Line not straight)
	대체 라인 표시(Alternative Line Markings)
	라인 재료 풀림(Line material loose)
	라인 표시 손실(Missing line marking)
접합부 (Seams)	접합부 파열(Open Seams)
	접합부 노출(Visible Seams)
	접합부 천공(Hole in Seams)
	제직 누락으로 인한 접합부 간격 발생(Gap in Seam due to missing turfs)
주름(Wrinkles)	주름(Wrinkles)

인조잔디 접합부가 파열되어 3㎜ 이상 벌어져 있거나 구멍이 뚫려 있는지도 육안점검으로 확인할 수 있다.

충전재의 경우 잔디 파일(pile) 사이에 고르게 분포되어 있는지 확인하며 과잉충전이나 충전 부족 부분도 육안으로 점검한다. 또한 충전재의 유출 여부도 확인하며 인조잔디 바닥의 평탄성도 육안으로 평가할 수 있다. 원칙적으로 바닥의 가장 낮은 지점과 가장 높은 지점의 차이가 10㎜를 초과해서는 안된다.

인조잔디 라인(line)의 변형 여부를 육안으로 확인함으로써 인조잔디 시스템의 결함 여부를 판단할 수 있다.

경기장 인조잔디(Artificial turf) 성능 점검 사례

스포츠 경기장의 인조잔디(artificial turf)는 일정한 수준의 기능과 성능이 요구되며, 이에 못미칠 경우 선수들의 안전과 경기력에 부정적 영향을 미칠 수 밖에 없다. 따라서 경기장 전용 인조잔디는 주기적으로 상태를 점검하고 적절한 유지 관리를 시행하여야 한다.

2022년 5월 국가기술표준원(KS)은 전문 경기장 인조잔디 성능에 대한 기준을 국제 수준으로 맞추기 위하여 경기장 인조잔디 한국산업표준인 'KS F 3888-1'을 국제축구연맹(FIFA)의 품질 기준에 부합하는 수준으로 표준을 개정한 바 있다.

"스포츠 경기장의 인조잔디(artificial turf)는
일정한 수준의 기능과 성능이 요구되며, 이에 못미칠 경우
선수들의 안전과 경기력에 부정적 영향을 미칠 수 밖에 없다."

대한축구협회에서도 전문경기장 인조잔디 상태를 주기적으로 점검하고 인조잔디 상태를 등급화하는 방안을 마련 중이다(스포츠경향, 2022).

이러한 요구에 부응하여 인조잔디 경기장을 설치·운영 중인 지방자치단체 등은 전문 경기장 수준의 높은 그라운드(ground) 성능과 선수 안전을 확보하기 위해 주기적인 점검 및 꾸준한 개·보수 등 적극적인 유지관리 노력을 강화하고 있다.

축구경기장 인조잔디(Artificial turf) 성능 점검 사례 개요[24)]

본 절은 지방자치단체에서 운영·관리 중인 축구 경기장의 인조잔디(artificial turf) 성능에 대한 정밀 점검 및 육안점검 사례이다.

본 사례인 정밀 성능점검 및 육안점검은 천연잔디로 조성된 주경기장 1면 및 인조잔디로 조성된 2면의 보조경기장을 대상으로 실시되었으나 본 장에서는 인조잔디로 조성된 1면의 경기장 정밀 성능점검 및 육안점검 결과를 사례로 제시한다.

본 사례의 인조잔디 정밀 성능점검 및 육안 점검은 사단법인 한국체육시설안전관리협회와 재단법인 한국건설생활환경시험연구원에 의해 수행되었다.

경기장 정밀 성능점검은 '충격흡수성', '수직방향변형', '회전저항', '수직공반발', '공구름' 등의 항목을 실시하였으며, '표면 평탄성 검사' 및 그라운드(ground) 전반의 육안점검도 병행하였다.

인조잔디 그라운드(ground) 성능 평가 기준은 국제축구연맹(FIFA)과 국내 K-리그 그라운드 공인제도 품질 규격 기준에 준하여 평가하였으며, 육안점검은 국제축구연

24) 프로선수와 아마추어 선수들이 사용하는 축구경기장 그라운드(ground) 환경개선을 위하여 한국프로축구연맹이 운영하는 인조잔디 인증제도

그림 3-9 | 인조잔디 성능점검 대상 축구경기장 전경

맹(FIFA)에서 제시하고 있는 'FIFA Handbook of Requirement'의 육안점검 범례를 준용하였다.

인조잔디 경기장 정밀 성능점검은 각 측정 항목 별 지정된 측정지점 및 측정횟수에 의하였으며, 기본적으로 결합부나 상감선에 대한 현장검사는 실시하지 않았다. 단 해당 부위에 공이 가로질러 구르는 경우가 있으므로 해당 지역의 공구름 검사를 실시하였다.

현장 검사는 검사 시 권장하는 현장 기후환경 조건에서 실시하였으며 표면온도는 -5℃~50℃ 범위 내의 기온에서 실시하였다. 검사위치가 바람으로부터 차단된 경우를 제외하고 공구름 검사 및 공반발 검사의 검사 허용 최대풍속은 2m/s이며 본 검사는 허용 풍속 내에서 실행되었다.

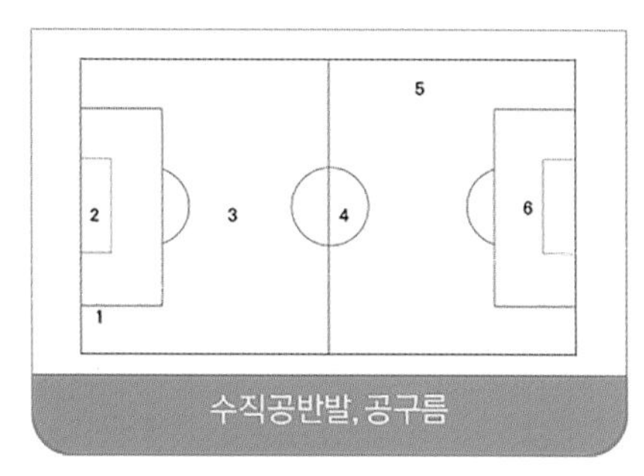

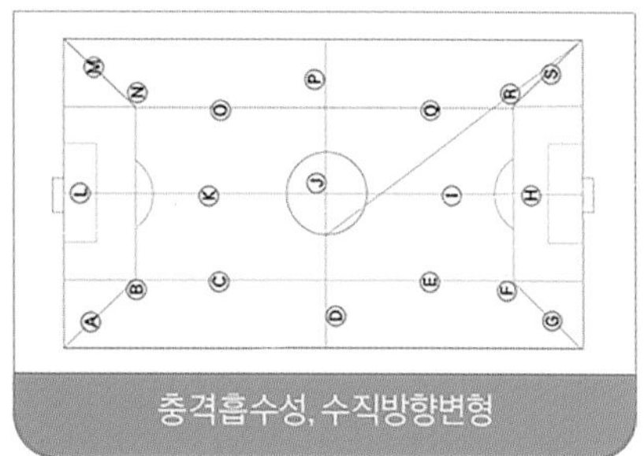

그림 3-10 | 인조잔디 성능점검 측정 지점

인조잔디 그라운드(ground) 성능점검 대상 경기장의 면적은 8,400㎡이며 규격은 각각 가로 112m × 세로 75m이다. 인조잔디는 플라스틱 재질로 제작된 파일(pile)로 구성되어 있다.

경기장 인조잔디(Artificial turf) 성능 측정 · 평가 사례

현장시험 정합성(Consistency)에서 최저값 기준치와 최고값 기준치는 전 지점 평균값에 오차 허용 기준치 범위를 표시한 것이다. 따라서 측정 최저값과 측정 최고값이 정합성(Consistency) 최저값 기준치와 최고값 기준치에서 벗어나는 값이 있다는 것은 해당 항목에 관한 관리가 필요함을 의미하는 것이라고 할 수 있다.

수직공반발 및 공구름 측정 평가

본 사례인 인조잔디 구장의 수직공반발 측정값은 전 지점 평균값이 0.61m로 '국제축구연맹(FIFA)'의 '퀄러티 프로(FIFA Quality Pro)' 품질 기준인 0.60~0.85m 범위 내에 해당하며, 측정 최저값 및 측정 최고값 또한 오차 허용 기준치 범위 내에서 측

"현장시험 정합성(Consistency)에서 최저값 기준치와 최고값 기준치는
전 지점 평균값에 오차 허용 기준치 범위를 표시한 것이다.
따라서 측정 최저값과 측정 최고값이
정합성(Consistency) 최저값 기준치와 최고값 기준치에서
벗어나는 값이 있다는 것은
해당 항목에 관한 관리가 필요함을 의미하는 것이라고 할 수 있다."

정되었다.

수직공반발 측정값과 달리 공구름 측정값은 전 지점 평균이 15.4m로 '국제축구연맹(FIFA)'에서 제시하는 '퀄러티 프로(FIFA Quality Pro)'의 품질 기준인 4~8m 범위를 2배 가까이 초과하는 것으로 측정되었다.

∝ **표 3-8 | 현장시험 Consistency**

시험항목	전 측정지점 평균	품질기준 (FIFA QualityPro)	Consistency(FIFA Quality Pro)				
			최저값 기준치	측정 최저값	측정 최고값	최고값 기준치	기준치(%)
수직공반발 (m)	0.61	0.60-0.85	0.58	0.58	0.65	0.64	±5
공구름 (m)	1.4	4-8	13.9	14.3	16.7	17.0	±10
회전저항 (Nm)	33	30-45	31	32	37	35	±6
충격흡수성 (%)	60	60-70	57	50	67	63	±5
수직방향변형 (m)	10	4-10	9	8	11	11	±10

※ 오차허용 기준치는 전 지점 평균값을 기준으로 오차 발생 허용 비율을 나타내는 것으로 측정값이 모두 품질기준을 충족하더라도 오차허용기준 범위를 벗어나는 측정값이 발생하면 품질기준을 충족한다고 할 수 없음

그림 3-11 | 인조잔디 구장 공구름 및 수직공반발 측정

이러한 측정결과는 검사 대상 인조잔디 경기장의 바닥이 공 반발과 관련된 품질에는 문제가 없지만 그라운드(ground) 표면은 매우 미끄러운 상태라는 것을 의미한다.

인조잔디 표면이 매우 미끄럽고 이로 인해 공구름 거리가 선수들이 생각하는 것보다 상대적으로 길어지게 되면 선수 간 공 패스(pass) 성공률을 저하 시킬 수 있으며 선수의 공구름 제어에도 어려움을 겪게 된다.

따라서 본 사례는 측정 결과에 따라 인조잔디 구장의 바닥 표면에 대한 시급하고 적절한 정비가 필요하다고 판단할 수 있다.

회전저항, 충격흡수성, 수직방향변형 측정 평가

본 사례인 인조잔디 구장의 회전저항은 전 지점 평균이 33 Nm으로 '국제축구연맹(FIFA)'에서 제시하는 '퀄러티 프로(FIFA Quality Pro)'의 품질 기준인 30~45Nm을 충족하고 있다.

그러나 오차 허용 기준치의 경우 측정 최고값이 37Nm으로 최고값 기준치인 35Nm을 초과하는 것으로 나타났다.

이러한 결과는 회전저항 평균값에 있어서는 '국제축구연맹(FIFA)'의 '퀄러티 프로(FIFA Quality Pro)' 품질 기준을 충족하고는 있으나, 잔디표면 전반의 회전저항 값에 대한 편차가 두드러지며, 상태가 균일하지 않다는 것을 의미한다.

'국제축구연맹(FIFA)'의 '퀄러티 프로(FIFA Quality Pro)'에서 규정하는 품질 기준에 부합하기 위해서는 국제축구연맹(FIFA)에서 제시하는 품질 기준과 오차 허용범위 모두를 충족해야 한다.

본 사례인 인조잔디 구장의 충격흡수성 측정값도 전 지점 평균값이 60%로 '국

그림 3-12 | 인조잔디 구장 충격흡수성, 수직방향변형, 회전저항 측정

제축구연맹(FIFA)'의 '퀄러티 프로(FIFA Quality Pro)' 품질 기준인 60~70%를 충족하고 있으나, 측정 최저값과 측정 최고값이 오차 허용 기준치를 벗어나고 있는 것으로 측정되었다. 특히 충격흡수성 측정 최저값이 50%로 기준치인 57%에 비해 매우 낮은 충격흡수성 수치를 나타내고 있다.

이러한 회전 저항 및 충격흡수성 측정결과는 인조잔디 구장 표면의 단단함 정도가 구장 전체적으로 일정하지 않다는 것으로 평가할 수 있다.

즉, 인조잔디 표면 곳곳의 상태가 선수들의 발목, 무릎, 엉덩이, 척추 등에 손상을 줄 수 있는 불안정한 상태이며, 또한 경기 중 선수들의 도약(jump) 및 추락에 따른 골절 사고가 발생할 위험성도 매우 높다는 것을 의미한다.

따라서 회전저항 및 충격흡수성 등 각 측정값이 공인단체에서 규정하는 기준에 미치지 못하는 지점들을 중심으로 충전재 상태를 확인하고 부족한 양만큼 보충하거나 불량 충전재를 교체하는 등 적절한 조치를 취해야 한다. 또한 해당 지점의 인조잔디 파일(pile)이 직립할 수 있도록 보수 작업도 실시하여야 한다.

본 사례인 인조잔디 구장의 수직방향변형 측정결과는 전 시점 평균 10㎜로 '국제축구연맹(FIFA)'에서 제시하는 '퀄러티 프로(FIFA Quality Pro)'의 품질 기준인 4~10㎜를 충족하고 있으나, 측정 최저값이 오차 허용 기준치를 벗어나고 있는 것으로 측정되었다.

수직방향변형은 선수가 달릴 때의 표면 안정성을 유지시켜 줄 수 있는 중요한 요소가 되며, 선수의 일정한 주행 양식(pattern)에 영향을 미칠 수 있으므로 측정 최저값을 나타낸 지점들에 대한 개선이 요구된다.

인조잔디 축구장 그라운드(ground)의 각 성능에 대한 품질 기준은 선수의 경기력 향상뿐만 아니라 부상의 위험을 예방할 수 있는 한계 범위라고 할 수 있다.

따라서 각 공인단체에서 제시하고 있는 품질기준의 단 1%라도 충족시키지 못한다는 것은 해당 부분에 대한 즉각적인 시정 조치를 필요로 한다는 것을 의미한다.

이러한 측면에서 본 사례인 인조잔디 구장 바닥의 정밀 성능 측정 결과는 상당 부분 기준을 벗어나는 것으로 평가되었으므로 해당 부분에 대한 보수나 정비, 교체 등 상태에 따른 적절한 유지·관리 조치를 즉각적으로 취해야 할 것으로 판단된다.

축구경기장 인조잔디(Artificial turf) 평탄성 검사 및 육안점검 사례

축구경기장 인조잔디(Artificial turf) 평탄성 검사

인조잔디 구장표면의 평탄성 검사는 그라운드(ground) 표면 높이의 균일함 정도를 측정하는 정밀 성능검사로써 국제축구연맹(FIFA)에서는 그라운드 표면의 가장 높은 지점과 가장 낮은 지점의 표면 차이가 10㎜ 미만의 평탄성을 갖출 것을 요구하고 있다.

인조잔디 구장표면의 평탄성 측정은 구장 전체를 3m 규격의 직선자(straightedge)로 가로 및 세로 방향으로 촘촘하게 끌고 다니면서 솟아오른 지점이나 패인 지점이 발견된 경우, 슬립 게이지(slip gauge)로 그 유격을 측정하는 방식이다. 기준(≤10㎜)을 초과하는 지점은 경기장 평면도에 정확한 해당 지점과 유격 측정치를 기록하여 관리자가 보수할 수 있도록 한다.

본 사례인 인조잔디 구장의 표면 평탄성 측정결과, 약 12개 지점에서 국제축구연맹(FIFA)이 제시하는 10mm 미만(표면기준 차 ≤10㎜)의 기준을 초과하는 것으로 측정되다.

그림 3-13 | 인조잔디구장 평탄성 측정

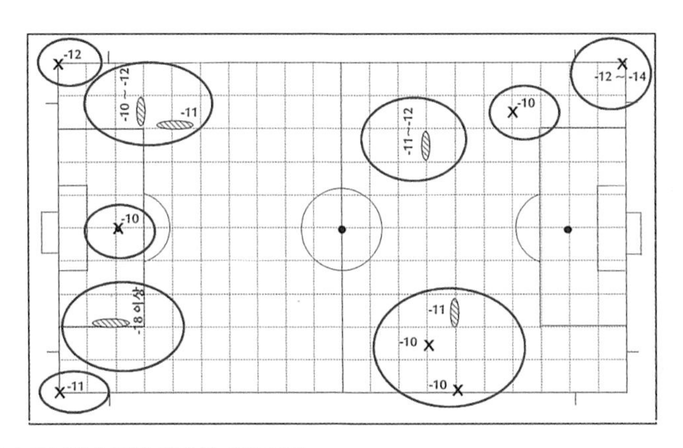

그림 3-14 | 인조잔디 구장 평탄성 측정 결과

불균등한 평탄성은 운동장 코너(corner) 지역이나 양 측면, 패널티에어리어(panalty area) 부근에서 주로 발생되고 있으며, 특히 패널티에어리어(panalty area) 지점에서는 18mm 이상으로 깊게 패인 지점도 발견되었다.

인조잔디 구장의 경우 격렬한 운동 특성을 보이는 지점에서 표면의 패임이 주로 나타날 수 있으며, 충전재가 한곳으로 쏠리거나 초과 충진되었을 경우에도 표면이 왜곡될 수 있다. 따라서 인조잔디 구장의 편탄성 측정 결과를 확인하고 잔디 파일(pile)의 직립 관리 및 충전재 관리를 통해 현재의 상태를 개선시키고 유지할 수 있도록 하는 관리가 필요하다.

축구경기장 인조잔디(Artificial turf) 육안 점검

인조잔디 구장표면의 효율적 유지·관리를 위해서는 인조잔디에 대한 정밀한 성능점검과 더불어 직관적인 육안검사를 실시함으로써 인조잔디 시스템의 결함을 조기에 발견하고 즉시 조치할 수 있도록 해야 한다.

인조잔디 구장에 대한 육안점검은 주로 인조잔디 표면이나 접합부분의 결함 및 충전재의 분포 등에 대해 점검한다. 또한 인조잔디 라인(line)의 굴곡 여부에 대한 확인도 인조잔디 시스템의 결함을 확인하기 위한 주요한 지표가 된다.

본 사례인 인조잔디 구장에 대한 육안점검 결과, 전반적으로 인조잔디 표면의 대부분이 접합부가 벌어지거나(visible) 찢기고(hole), 파열(open)되어 있었다.

그 외에 인조잔디 파일(pile)이 눕혀진(flattened) 상태이거나 충전재의 유실, 불균등 분포 등으로 표면이 융기되고 패인 지점도 다수 발견되었으며 라인(line)도 직선의 형태에서 왜곡된 형태로 변형된 곳이 여러 곳에서 확인되었다.

[그림 3-15]의 인조잔디 구장 '육안점검 결과 평면도'에 나타난 지점을 국제축

구연맹(FIFA)에서 범례화한 항목에 준하여 구체적으로 기술한 결함 항목 및 내용은 다음과 같다.

본 사례인 인조잔디 구장에 대한 육안점검 결과, 상기(上記) 한 바와 같이 인조잔디 그라운드(ground) 대부분의 접합부가 틈이 벌어지거나 파열되어 있는 상태이다. 또한 인조잔디 충전재의 분포가 균일하지 못하여 다수의 지점에서 표면의 융기(隆起)와 함몰(陷沒) 상태를 나타내고 있으며, 이는 회전저항을 높게 하거나 반대로 낮게 하여 선수들의 부상 위험을 높일 수 있다.

인조잔디에 삽입된 라인(line)도 대부분 직선 형태에서 왜곡되어 변형된 형태를 나타내고 있으므로 인조잔디 시스템에 문제가 발생되고 있다는 것을 유추할 수 있다.

본 사례인 인조잔디 구장은 육안점검 뿐만 아니라 평탄성 검사, 정밀 성능 측정·평가 등에서 상당 부분 기준에 도달하지 못하는 결과를 나타내고 있다.

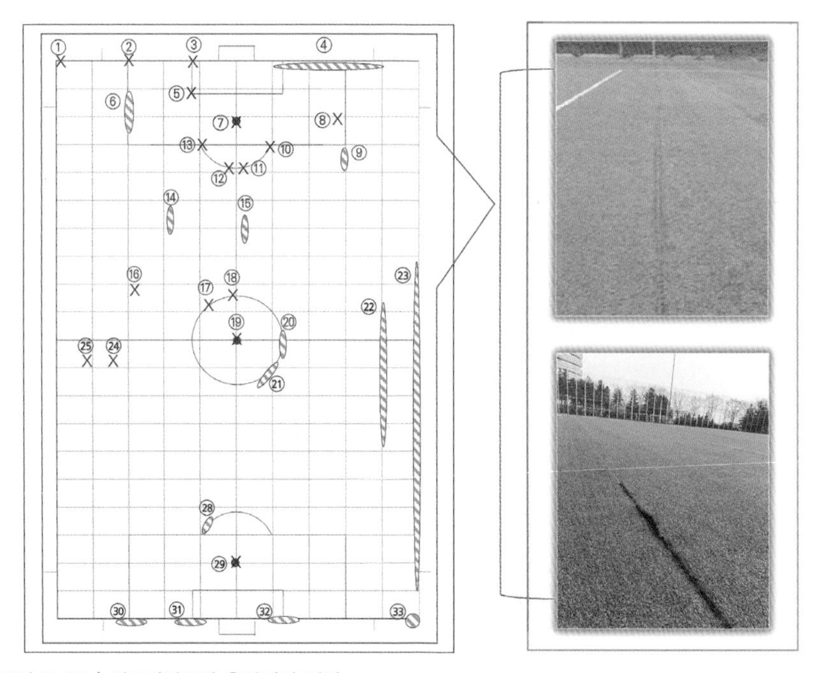

그림 3-15 | 인조잔디구장 육안점검 결과

다발누락으로 인한 접합부 틈

- 그림은 육안점검 평면도에서의 1번 표시 지역으로 인조잔디의 다발 누락으로 인해 접합부의 틈이 발생(gap in seam due to missing turfs)한 모습이다.
- 인조잔디 접합부에 발생된 틈(gap)을 통해 충전재나 규사의 유실이 발생될 수 있으며 시간이 지남에 따라 접합부의 파열, 노출, 천공 등이 유발될 수 있으므로 발견 즉시 보수하여야 한다.

인조잔디 라인 변형

- 그림은 육안점검 평면도에서의 2번, 3번, 4번, 23번, 30번, 31번, 32번 표시 지역으로 인조잔디에 삽인된 라인(line)이 직선의 형태에서 왜곡되어 변형된 모습이다. 인조잔디의 라인(line)이 변형되었다는 의미는 충전재나 규사의 유실 등 다수의 원인으로 인조잔디 시스템의 변형이 발생되고 있다는 것으로 유추할 수 있다.

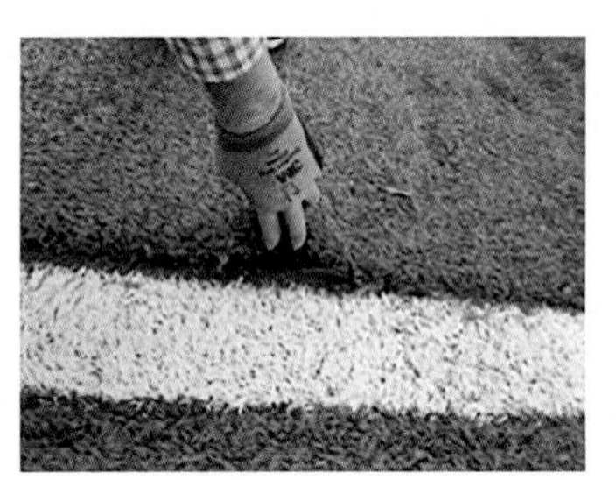

인조잔디 접합부 파열

- 그림은 육안점검 평면도에서의 5번, 6번, 8번, 11번, 12번, 13번, 14번, 15번, 16번, 17번, 18번 20번, 24번, 25번, 28번, 29번 등 인조잔디 구장 표면 다수의 지점에서 육안으로 확인된 인조잔디 파열(open) 및 벌어짐(visible) 모습이다.
- 본 사례인 인조잔디 구장 그라운드(ground) 대부분의 인조잔디 접합부가 그림과 같이 파손된 상태이다.

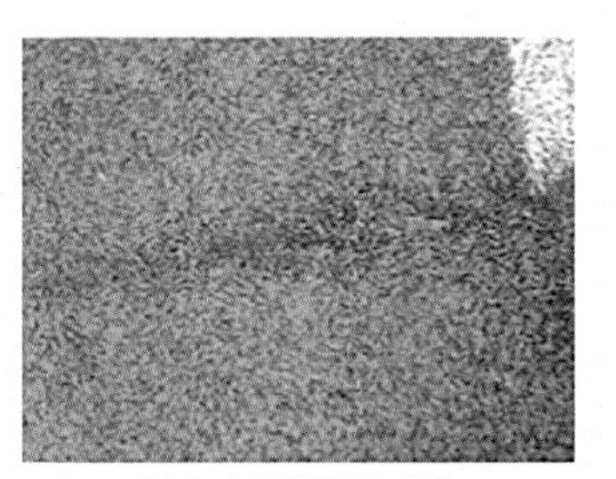

인조잔디 접합부 파열

- 육안점검 평면도에서의 9번, 10번, 19번, 21번 표시 지역 역시 그라운드(ground)의 인조잔디 접합부가 파열(open seams)되어, 심하게 벌어져 있는(visible seams) 상태를 나타내고 있다.
- 전반적으로 인조잔디 표면 곳곳의 접합부가 벌어지거나(visible) 찢기고(hole), 파열(open)되어 있는 상태로 확인된다.

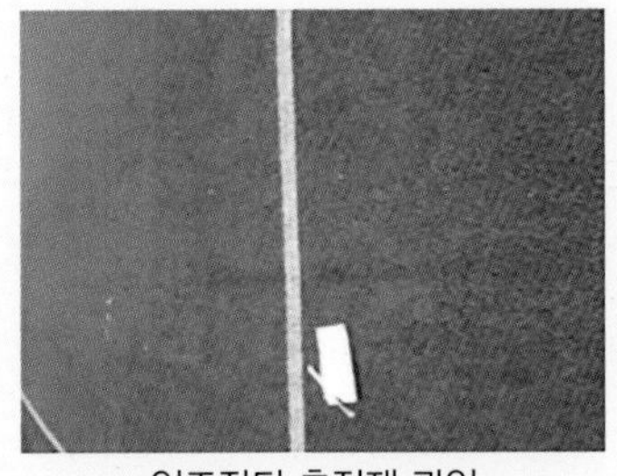

인조잔디 충전재 과잉

· 그림은 육안점검 평면도에서의 22번 표시 지역으로 인조잔디 시스템 내부의 충전재가 과잉 충진(excess infill)되어 표면의 일부가 융기되어 있는 상태의 모습이다.
· 이러한 경우 과하게 충진된 충전재 등을 균일하게 정리하여 인조잔디 표면을 평탄한 상태로 보수하여야 한다.

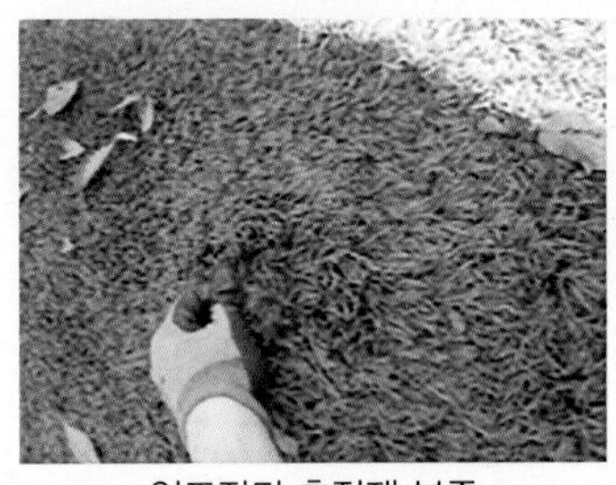

인조잔디 충전재 부족

· 인조잔디 시스템의 과잉충진과 마찬가지로 충전재의 유실이나 충진 부족 등의 원인으로 인조잔디 표면이 함몰(陷沒)될 수 있다.
· 그림은 인조잔디 내부의 충전재 부족(low infill)으로 표면이 가라 앉고, 이로 인해 인조잔디 파일(pile)도 누움 현상(flattened fibres)을 보이고 있다.
· 따라서 충전재 보충과 브러시(brush) 작업 등을 통해 인조잔디 표면을 정상적으로 개선해 주어야 한다.

따라서 각 정밀 성능 측정 결과에 따른 적절한 보수 및 정비 등의 유지·관리 조치가 시급히 요구되는 상황이며, 상태에 따라서는 결함 부분을 개선하기 위한 전면 교체도 고려할 필요가 있다고 판단된다.

경기장 인조잔디(Artificial turf) 성능 검사 사례에 따른 시사점

현재 경기장 전용 인조잔디는 기능이나 형태에 있어 천연잔디와 거의 유사한 성능 및 질감을 구현할 정도로 빠르게 발전하고 있다. 또한 한국산업표준원(KS)이나 각 종목 별 공인협회 등에 의해 기능 및 품질에 대한 표준화된 기준이 마련됨으로써 경기장 전용 인조잔디는 안전하고 우수한 품질을 보장받고 있다.

인조잔디 구장은 천연잔디 구장에 비해 상대적으로 적은 비용으로도 시공이 가능하며 유지·관리도 용이하다는 장점으로 인해 학교 운동장이나 지역자치단체의 공공체육시설을 중심으로 활발하게 건설되어 활용되고 있다.

인조잔디 운동장은 설치 후 사용환경에 따라 충전재의 보충이나 정기적 브러싱(brushing) 등 적절한 유지·관리가 필요하며 이를 통해 적정한 품질을 유지하며 오랜 기간 사용이 가능하다.

그러나 인조잔디 유지·관리에 대한 표준화된 기준이나 효율적 유지·관리 매뉴얼(manual)이 부재하며, 관리자의 인조잔디에 대한 인식 부족으로 인조잔디 운동장의 품질은 시간이 지남에 따라 급속하게 저하되고, 결국 인조잔디 구장은 본래의 사용수명을 채우지 못하고 폐기되거나 재시공하게 되는 악순환이 거듭되고 있다.

2020년 사단법인 한국체육시설안전관리협회가 국내 인조잔디구장 158곳을 대상으로 충격흡수성을 조사한 결과, 한국산업표준(KS)의 인조잔디 충격흡수성 기준인 50%를 밑도는 인조잔디 구장이 129곳으로 조사대상 구장의 82%에 이르는 것으로 분석되었다.

경기장 인조잔디 시스템은 일반적으로 폴리에틸렌(PE) 섬유와 규사 및 충전재로 구성되어 있어 강한 내구성을 지니며, 꾸준하고 적절한 유지·관리가 지속된다면 사계절 상관없이 쾌적한 환경에서 오랫동안 사용할 수 있다.

본 사례와 같은 인조잔디 구장의 정밀 성능점검 등 현장점검은 일반적으로 인조잔디 구장 준공 당시 한 번만 진행된다. 이후 인조잔디 구장의 유지·관리를 위한 현장 점검을 받는 인조잔디 구장은 거의 없다(스포츠 경향, 2021).

최근(2022년) 한국산업표준원(KS)은 대한축구협회의 요청에 의해 전문 축구경기장용 인조잔디의 성능 품질기준을 국제 수준으로 높이기 위한 현실적인 한국산업표준을 개정한 바 있다.

이제부터는 국내에서 경기장 전용 인조잔디를 공급하고자 하는 제조업체는 제품의 품질을 높이기 위한 지속적 연구를 통해 새로운 KS 인증 표준에 부합하는 제품을 공급해야 하며, 인조잔디 구장의 시공은 전문적인 경기장 인조잔디 시공업체에 의해 건설될 것이다.

그러나 경기장용 인조잔디 구장의 성능과 품질을 현실적으로 높이는 것만큼 중요한 것은 전술한 바와 같이 인조잔디 구장의 유지·관리를 강화함으로써 인조잔디 구장의 운영 효율성 및 경제적 효율성을 증대시켜야 한다는 것이다.

다행히 인조잔디 구장의 유지·관리 부실로 인한 막대한 손실의 심각성을 깨닫기 시작하고, 대한축구협회 등은 전문경기장 인조잔디 상태에 대한 주기적 점검과 결과에 따른 경기장 등급화의 실행을 계획하고 있다.

인조잔디 구장의 효과적 유지·관리를 위해서는 인조잔디 그라운드(ground) 표면에 대한 정밀 성능점검 및 전문가의 통찰력에 의한 직관적 육안점검 등이 선행되고 이에 따른 정확한 분석 자료(data)를 근거로 실시되어야 할 필요가 있다.

인조잔디 구장의 유지·관리에 대한 표준화 및 체계화를 통해 경기장 인조잔디의 내구성 증진 및 경제적 효율성을 기대할 수 있으며, 아울러 경기장 사용자의 안전한 활동을 보장할 수 있다.

찾아보기

A~Z

ㄱ

ㄴ

ㄷ

ㅁ

ㅂ

ㅅ

ㅇ

ㅈ

ㅊ

ㅋ

ㅌ~ㅍ

ㅎ